２０２０年の大注目は香港の民主主義運動の行方である。中国政府の弾圧は激しくなるだろう。しかし、香港市民の自由・民主主義を求める精神は強い。弾圧を跳ね返していくだろう。香港の民主主義運動は確実に中国本土に飛び火する。習近平独裁国家に風穴が空くだろう。

韓国左翼は日本製品不買・日本旅行忌避運動と徴用工・慰安婦問題で安倍政権を追い詰めようとしている。安倍政権、韓国政府、左翼のみつどもえの闘いが展開される。勝つのは安倍政権だ。

辺野古埋め立てが５年から１０年に伸びたのにはうんざりだ。埋め立てが進めば進むほどに反対運動は衰退していくのに、埋め立てが５年も伸びてしまった。反対運動が延命する。

首里城火災前と消失した写真を掲載することにした。白黒写真よりカラー写真がいいとカラーページにした。印刷代は高くなるが首里城焼失を伝えるためにはその方がいいと思う。印刷は一部だけカラーにするのではなく全ページをカラーにしなければならない。だから「アートハイク」も発表することにした。今回だけカラーページにするか、それとも続けていくか。

目次

首里城
なぜ火災に
なぜ大火災に

首里城火災で左翼県政批判を展開するとは予想していなかった。最初に変に思ったのはデニー知事が火災の翌日に東京の官邸に行き首里城再建を要望し、那覇市と県が再建募金を始めたことだった。なにかがおかしいと感じた。案の定であった。首里城火災の原因が県に関係していることが判明した。しかし、それだけにとどまらなかった。自衛隊ヘリを要請しなかったのだ。理由は県民に自衛隊支持を増やしたくなかったからである。それが左翼県政批判につながった。

首里城が「沖縄の心」？

首里城が大火災になり、。正殿、北殿、南殿など6棟が焼失したのには驚いた。。新しく建築したのだから防火体制は万全だと思っていたから6棟も消失したのはまさかという気持ちだ。首里城は高台にあるから年中風が吹いている。防火対策は普通以上に気を配らなくてはならない。防火対策は徹底していたはずだから大火災が起こるとは全然予想していなかった。しかし、大火災になり6棟も消失した。

予想していなかったことがもう一つ起こった。ほとんどのマスコミが、首里城は「沖縄の心」「沖縄の象徴」「県民の心の支え」であるとする報道だったことだ。

それはおかしい。はっきり言えることは首里城は琉球王国の象徴であることだ。

五木の子守歌の子守は小作人の子であり小作人はとても貧しかった。貧しい原因は武士支配階級に搾取されていたからだ。沖縄の農民を搾取していたのが琉球王府である。琉球王府は地割制度をつくり農民の移動を禁じた。首里城は沖縄の農民の貧しさと不自由の象徴でもある。

不自由で貧しい農民を解放したのが明治政府の四民平等であった。自由になった農民は政府が設立した製鉄工場、紡績工場、インフラ工事で働くために村を出た。また、東京、大阪などの都市にも移住した。小作人を解放したのが明治政府の四民平等と経済の近代化だった。沖縄の多くの農民が本土の工場で働き、ハワイへ移民もした。琉球王国時代の農民を解放したのが明治政府による琉球処分・廃藩置県であったのだ。首里城を「沖縄の心」とするのは琉球王府の農民搾取を認めることになる。民ではなく支配者の琉球王府を沖縄と思っているから首里城を「沖縄の心」と思うのである。

一夜にして灰になった首里城に「わが身を引き裂かれたような悲しみと喪失感に沖縄全体が包まれている」と悲嘆した琉球新報社説は、琉球王国は、「独立した国としてアジア各地へ繰り出す外交・貿易の拠点であった」と述べ、

「１８７９年に松田道之琉球処分官が日本陸軍熊本鎮台分遣隊の一個中隊を伴い首里城に入城し、国王を追放して日本軍の駐屯地として占拠され、王国の

崩壊とともに苦難の歴史をたどった」と述べている。

王家が苦難の歴史をたどったというのは嘘である。明治政府は四民平等にはしたが、大地主制度にし、土地は元武士の私有にした。だから王家は政権は失ったが莫大な土地と財産は私有した。

明治以降は裕福な生活を送ったというのが歴史的事実である。

県民の味方であってほしい新報社説が農民を搾取した支配者琉球王府の味方になつていることは残念である。明治政府が琉球王国を処分して四民平等の沖縄にしたことを新報社説は琉球処分によって沖縄が苦難な道を歩んだと認識している。苦難な道であったかもしれないが農民にとっては琉球王国時代に比べて自由であるし努力して豊かになれる夢を持つことができた。沖縄の民の味方をしたのは明治政府であって琉球王府ではない。

首里城は「沖縄の心」ではない。沖縄の民を搾取した琉球王国の繁栄の象徴である。しかし、それは遠い昔のことである。今の首里城は文化遺産である。首里城は文化遺産以上の存在でもなければ以下の存在でもない。

文化遺産である首里城への個人的な思いは自由である。「沖縄の心」と思う人、「心の支え」と思う人もいれば私のように「沖縄の民の搾取の象徴」と見る人も居る。「観光客を増やすため」と思う人もいるだろう。そして、特別な感情のない人も居る。文化遺産に思いを持つのはそれぞれの人の自由である。しかし、多くの読者と権威を持っている新報社説は普通の人ではない。多くの読者は新報社説を信頼する。新報社説は民主主義を基本にしていると思っている人も多い。しかし、今回の新報社説は農民を搾取した琉球王国の味方をしている。それでいいのだろうか。民の味方の面をしながら実は支配者の味方をしているのが琉球新報社説だと皮肉を言いたくなる。

首里城消失でも観光客が減ることはない

おきぎん経済研究所は首里城焼失の影響について「沖縄の歴史と文化を象徴する非常に重要な存在で、沖縄観光において唯一無二の存在。世界遺産であることに魅力を感じる観光客も少なくない」と指摘し、中長期的に沖縄の入域観光客数全体にも関わる事態を懸念しているという。おきぎん経済研究所は本当に経済研究所なのか疑ってしまう。

首里城消失が観光客全体に影響することはない。観光客にとって首里城は見学対象の一つであって「沖縄の歴史と文化を象徴する非常に重要な存在」ではない。そう思うのは沖縄に住み首里城に「沖縄の心」を感じる人たちであって、県外の観光客ではない。

観光バスでやってくる団体客は旅行会社が首里城を観光コースに入れているから首里城に来るのだ。

写真を見ると奉神門は焼けていない。正殿の奥の方も火災を免れている。火災した建物の焼け落ちたがれきを片付ければ観光客を受け入れることができる。火災があった場所には消失する前の写真をパネルで展示して、火災で焼失したことを説明すれば観光客は焼け跡に興味を持つだろう。焼け跡も立派な観光資源である。

急いでやるべきことは首里城火災の原因を調べることと、調査に必要のないがれきを早く片付けて一日も早く観光客を受け入れることである。

デニー知事は首里城復元に全身全霊で取り組むと言い、寄付を受け付ける口座開設と首相官邸に行って復興協力を要請したが、そんなことより、一日も早い首里城観光の復活が先である。

沖縄県の観光客増加の一番の原因はアジアの国々の経済成長である。観光は生活に余裕ができた中流家庭がする。貧しい家庭は観光をしない。世界第二位の経済大国になったから中国の観光客は増えたのである。台湾、フイリピンなどアジアの国々の経済が発展したから沖縄への観光客は増えた。これからもアジア経済は発展する。だから、アジアの観光客は今後も増えるだろう。首里城火災には関係ない。

ベトナム戦争では戦っていたベトナム社会主義国と米国が今は仲良くなっている。アジアの平和が沖縄観光に貢献していることを認識するべきだ。

首里城
なぜ火災に
なぜ大火災に

２０１９年１０月３１日深夜に首里城が炎上した。なぜ火の気がないはずの首里城が火事になったのか。カミナリが落ちたり、首里城の近くの建物の火事から延焼しない限り首里城が家事になるのは考えられない。脳裏に浮かんだのは「放火？」だった。放火以外に首里城が火事になるのは考えられなかった。

とにかく首里城が火事になったことに間違いない。正門など多くの建物が焼け落ちたという記事を読んだり、首里城が炎上する映像を見たが、公開した炎上後の写真に大きな衝撃を受けた。

玉城デニー知事、美ら島財団の火災後の対応はおかしい。火災の原因を消防署が調査しているが、ネットでもやっている。ネットでは県と美ら島財団の行為が火災の原因かもしれないことを映像と写真で説明している。

首里城全景

首里城正殿

御庭に焼け残った龍柱

北殿

南殿・番所

書院・鎖之間

黄金御殿

寄満

二階御殿

奥書院

奉神門

首里城の大火災消失の責任は県と美ら島財団にある1

　首里城は復帰後に日本政府の資金によって再建されたから国有であり、国が管理していたが、２０１９年2月以降は所有権は国のまま運営・管理を沖縄県に移管した。そして、沖縄県が指定した「沖縄美ら島財団」が管理を行っている。移管した後は首里城で起こる事故については県に責任がある。移管した時に県がやらなければならないのは首里城の防災のための調査であった。

　首里城の安全管理は県が沖縄美ら島財団に委託した。首里城火災の責任は県と沖縄美ら島財団にある。玉城デニー知事と美ら島財団が真っ先にやるべきことは首里城火災を起こしたことを国民、県民に深く謝罪することであった。それが管理者の最初に取るべきことである。ところがデニー知事の謝罪を報道したマスコミはない。

　出火の原因は色々あるし、放火の可能性もある。例え防ぐことが困難であったとしても謝罪をするべきである。国から管理を任された県知事として最初にやるべきことである。

　デニー知事は最初の記者会見で首里城を管理する県の長として火災を起こしたことを謝罪し、火災の原因を解明して、他の建築物が火災を起こさないための対策を講じることを県民に約束するべきであった。


　沖縄美ら島財団は調査研究・普及啓発・公園管理等を事業の柱としている。防災の専門ではない。同財団が首里城の文化遺産を管理するのは理解できるが果たして今回のような災害を起こさないための管理会社として適任であったのか疑問である。

　同財団は国頭郡本部町と那覇市の国営沖縄記念公園の管理・運営を行っているが、亜熱帯性動植物に関する調査研究や首里城に関する調査研究を目的としている財団である。防災を管理する財団とは思えない。美ら島財団に防災の管理も委託したのは防災軽視である。遺産管理と防災管理は別にするべきである。

　首里城に関する文化遺産の復元や資料収集のための「首里城基金」を設立・運用し、広く寄附を募っている美ら島財団である。防災管理には関心がなかっただろうと疑ってしまう。

奉神門は全焼を免れた。首里城全体から見れば消失した面積は小さい。

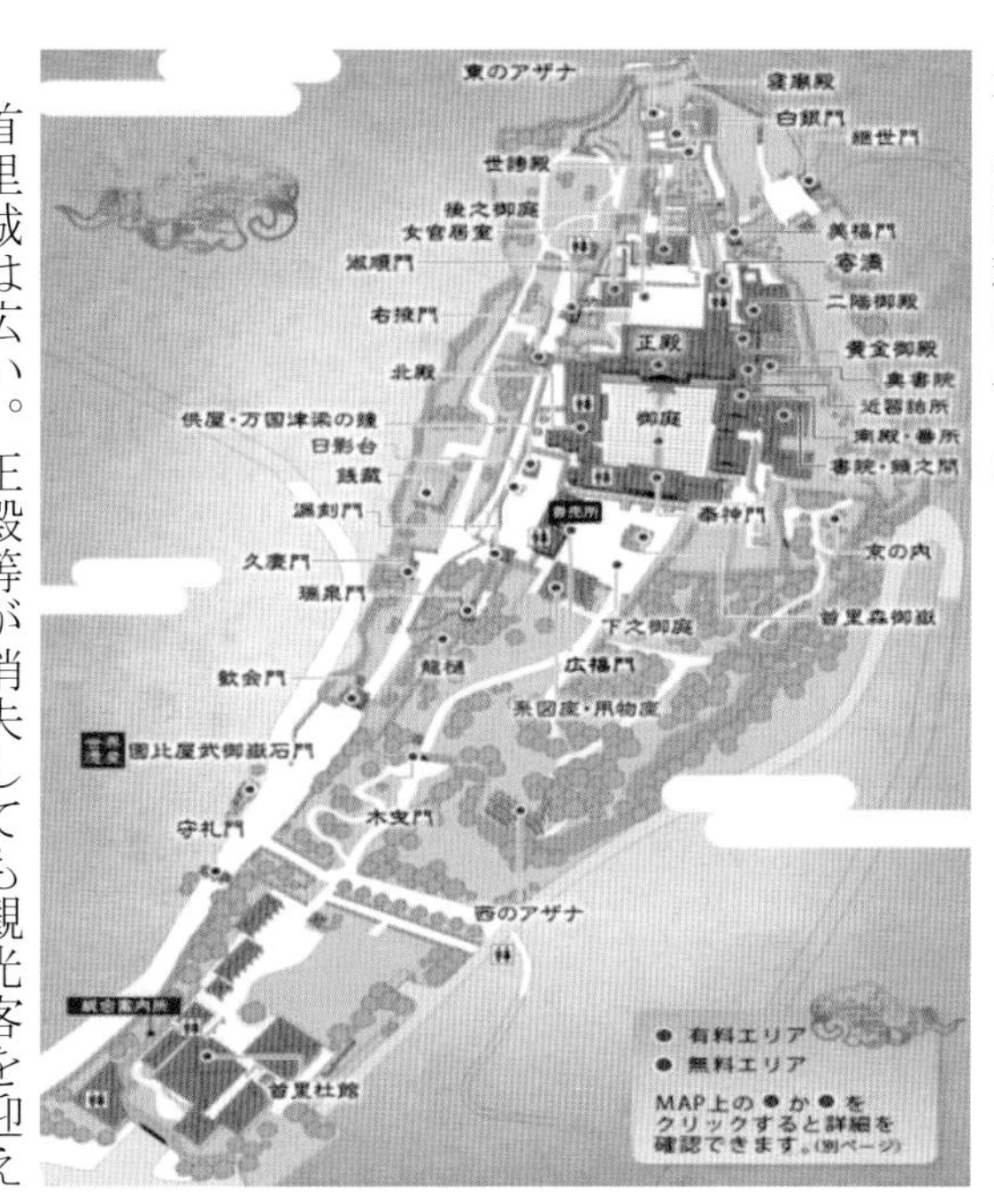

首里城は広い。正殿等が消失しても観光客を迎え入れることはできる。県が急いでやるべきことは首里城観光の復活である。真剣に取り組めば数週間で実現できるはずだ。

首里城の大火災消失の責任は県と美ら島財団にある2

那覇市消防局は7日、衝撃的な発表をした。

出火場所とみられる正殿北東には部屋の分電盤からの床下配線と、分電盤側面のコンセントに取り付けられていた延長コードが見つかったというのだ。なんと首里城で延長コードを使っていたのだ。びっくりである。

延長コードは国から県に管理が移行した2月以降に設置したという。正殿裏手に位置する御内原エリアが開園し、正殿内の順路が変更されたため、足元を照らすための措置だったという。延長コードには二つの発光ダイオード（LED）ライトが接続されていた。

驚くのは火災の時、正殿内の照明などへ配電するブレーカーは落ちていたが、延長コード側のブレーカーは通電していたことである。床下配線には1カ所の熔融痕が確認された。火災前は3～4メートルの1本のコードだったとみられる延長コードは、焼けて数センチごとの細切れの状態で見つかった。延長コードには30カ所以上の熔融痕があった。銅の溶融度は1000度以上であり、火災で銅が溶解することはない。30か所以上の溶解はコードが解けて、銅線が直接触れショートしたことが原因である。専門家が配線していればショートは起こらなかっただろうし、ショートしても瞬間にブレーカーは落ちるように設置していただろう。ずさんな配線が首里城大火災の原因の可能性は高くなった。

　もし、延長コードが火災の原因であれば県と美ら島財団に火災の責任がある。

ネットでは沖縄県が、

「放水銃は加熱で近寄れなかった」というのは嘘で本当は首里祭のイベントのステージのために高さ約4メートルほどの壁を設置したために壁が放水銃と首里城の間に立ちはだかったために消火に使えなかったことを指摘している。防火計画がずさんなままイベントを行った事で放水銃を使えなくしてしまったというのである。

　県と美ら島財団のずさんな首里城管理が露呈したのが首里城炎上である。

ヒジャイ出版の本

評論

少女慰安婦像は韓国の恥である
沖縄に内なる民主義はあるか
翁長知事・県議会は撤回せよ謝罪せよ
あなたたち　沖縄をもてあそぶなよ
捻じ曲げられた辺野古の真実
違法行為を繰り返す沖縄革新に未来はあるか

小説

マリーの館
一九七一Ｍの死
ジュゴンを食べた話
バーデスの五日間　上巻下巻
おっかあを殺したのは俺じゃねえ
台風十八号とミサイル

「首里城火災の犯人は県と美ら島財団」断言する

「首里城火災の犯人は県と美ら島財団」を断言する。

県の責任であると指摘する人は居るが「犯人」だと主張する人は私の知る限りでは居ない。責任くらいでは生ぬるい。犯人だと断言しないと県に責任を認めさせることはできない。那覇消防局の記者会見発表を分析すれば明らかに首里城火災の犯人は県と美ら海財団であることがわかる。県はこの事実から県民の目をそらそうとしている。そうさせてはいけない。首里城火災の原因は県と美ら財団の可能性があるとあいまいな表現をするのではなく、犯人だと断言したほうがいい。県の政治を支配している県庁の左翼にはそのくらいの強い主張をしなければならない。

今年の2月に首里城の管理は国から県に移った。県が管理して一年にもならないのに首里城が大火災になった。火災は10月31日未明に発生した。火災で正殿をはじめ北殿、南殿、二階御殿（ニーケーウドゥン）といった6棟が全焼し、御庭（ウナー）への正門であった奉門の北側部分などを焼いて7つの建物が被害を受けた。火災で6棟も消失するなんて考えられないことである。

31日に韓国から帰って来た玉城デニー知事は翌日の11月1日に県庁スタッフと協議をすると思いきやなんと東京の官邸に行っている。首里城の再建はすべて国の予算でやった。国民の税金で首里城は復活したのである。復活した首里城は県の管理になったが県が管理している時に火災が起き消失したのである。官邸に行ったデニー知事が首里城の火災消失について政府と国民に謝罪すると思いきや、なんと首里城再建のための資金援助を政府に要求したのである。火災の翌日である。あまりにも無責任であり図々しい。デニー知事は官邸では謝罪に徹し資金援助の要請は日を改めてやるべきであった。

那覇市と県は首里城再建を掲げて寄付金集めに奔走した。火災により正殿など6棟が焼失した首里城。沖縄総合事務局によると、正殿や南殿、北殿などは国が約73億円かけ復元整備した。材料費や大工職人の人件費などの値上がりにより、再建の費用は「甘く見ても倍はかかるだろう」（政府関係者）との見立てだ。首里城再建には１５０億円はかかるだろう。再建に２０年かかるとすれば１年に７・５億円、１０年かかるとすれば１年に１５億円の経費になる。そのくらいならば県の予算と寄付金で賄えるかもしれない。保険金が７０億円あるともいわれている。そうであるならなおさら県だけで再建できる。しかし、首里城は国の所有である。県が再建するのか国が再建するのかは県と国が協議する必要がある。ところが県は国と協議することもなく独断で再建計画を進めている。

県の政治を主導しているのは玉城デニー知事ではない。謝花喜一郎副知事である。デニー知事の官邸への資金援助要請、寄付金集め、首里城の所有権を県に移すなどの計画はデニー知事抜きの謝花副知事中心の協議で決めただろう。デニー知事は謝花副知事たちが決めたことに従っているだけである。

なぜ首里城火災から一日も経っていないのに首里城再建、寄付金集めに県は走ったか。理由は首里城火災の原因への県民の関心をそらすためである。首里城再建の寄付金集めが始まると多くの企業や団体が寄付をし、沖縄紙は連日寄付のニュースを掲載した。火災の責任と原因を追究する記事はなくなった。保守系も県に負けじと首里城再建に走っている。

那覇市消防局は７日に火災調査について発表した。県と美ら海財団が火災の犯人であるのは明らかである。ところがマスコミはそのことは横に置いて、首里城は歴史の象徴、県民の心の象徴を強調し、寄付金集めに取り組んでいるグループの記事などを中心に掲載して寄付を盛り上げていった。

首里城再建、寄付金集めはデニー知事、県政与党への支持を高める目的でもある。

那覇市消防局の説明では、電気系統設備が最も集中している正殿北東の部屋が出火場所とみており、その部屋の分電盤の床下配線と、分電盤側面のコンセントに取り付けられていた延長コードが見つかった。

延長コードには溶けた痕が３０カ所あった。送風機の配線にも溶けた後があった。火災直前には白い発光体が映像に映っていたという。延長コードは今年２月から正殿内に取り付けられていたことも関係者への取材で分かった。

正殿内の照明などへ配電するブレーカーは落ちていたが、延長コード側のブレーカーは落ちていなかった。ブレーカーは火事を防ぐために設置している。設定以上に電気を使ったらブレーカーが落ちて通電をストップさせる。配線がショートした時はすぐにブレーカーは落ちる。ブレーカーが落ちないと通電し続け、銅線は１０００度以上になって溶ける。それが原因で火事になる。県が設置した延長コードのショートによって一気に火災になったのは明らかである。疑いようがない。

正殿は火の巡り方の検証が困難なくらいに燃え方が激しかった。延長コードのショートがあったからだ。北東の部屋で火災原因の特定につながる唯一の痕跡は床下の配線と延長コードの２点だけである。

正殿の北東側にあるカメラには火災直前に白い発光体が映っていた。正殿裏側のカメラには出火直後に正殿から炎が吹き上がる様子が映っていた。

火の不始末などによる火事ならゆっくりと火事は広がる。そうであったら守衛が火事を発見して消火器で消すことができただろう。消せなくても他の建物への延焼は防げたかもしれない。短時間で６棟の建物が延焼したのは延長コードのショートによって正殿が一気に燃えたからである。

山城達予防課長は「出火原因を特定する物は出てきていない。今の状況から特定は非常に困難だ」と調査の長期化も予想されると発表した。もしかすると県の圧力によって出火原因は不明と消防局は発表するかもしれない。謝花副知事を頂点とする県庁左翼の権力は強大だからだ。絶対にうやむやにさせてはいけない。首里城火災の犯人は県と美ら海財団であることは間違いない。断言する。

首里城火災の原因は正殿の延長コードであるという嘘偽りのない消防局の発表を待つ。

自衛隊に消火活動をさせたくなかったからヘリコプターを要請しなかった県政

宮古島市の反自衛隊運動

防衛省は7日、沖縄県の宮古島への陸上自衛隊警備・ミサイル部隊の配備計画で弾薬庫などのミサイル部隊関連施設の建設に着手したが、宮古島市では激しい施設建設反対運動が展開されている。ミサイル施設を建設する宮古島東部で防衛省が開いた住民説明会に建設反対派は会の名称に「弾薬庫」という言葉がないと抗議し、約100人が会場入りを拒否した。反対運動を主導したのは島民ではなく、なんと沖縄平和運動センターの山城博治議長であった。

宮古島市のミサイル施設反対運動は沖縄左翼主導の運動であることが分かる。

山城氏は「辺野古（の反対運動）から人を呼ぶ」と反対派住民に伝えたという。

石垣市の反自衛隊運動

防衛相は石垣島で地対艦・地対空誘導弾部隊を含む500—600人規模の自衛隊派遣を計画している。中山義隆石垣市長は2016年12月に事実上のゴーサインを出した。自衛隊配備に反対する左翼は署名運動を実施し、1万4263筆の有効署名を集めた。住民投票実施を要求できる50分の1の法定署名数の18倍であった。住民投票条例案は市議会で審議されたが、条例案賛成10、反対10の同数であった。議長（公明会派）が反対し、一票差で採決は否決された。

住民投票がたった一票で否決された。もし、住民投票をすれば自衛隊配備反対票が過半数を越していた可能性が高い。反対派は住民投票をしなかった市は市基本条例に違反していると提訴した。

県庁は左翼の牙城である。県庁のトップである公室長だった謝花喜一郎氏が翁長知事の時に副知事になった。翁長知事からデニー知事になったが謝花副知事のままである。県の実質的な権力は謝花副知事にあると思って間違いない。左翼にとって石垣市・宮古島市の反自衛隊運動が重要である。

宮古・八重山の基地反対運動支援のため自衛隊にヘリ消火を要請しなかった左翼県政

首里城火災の時に県は自衛隊にヘリを要請しなかった。首里城は道路が少なく幅は狭いから消防車よりも空からヘリで消火するのが効果があると思うが県は自衛隊にヘリを要請しなかったのだ。

自衛隊の災害派遣は県対策本部で意思決定をすることになっているから県が要請しないと自衛隊はヘリを出動させることはできない。県は対策本部設置前に今回の首里城火災ではヘリでの空中消火活動は困難だと判断したから要請をしなかったという。

２２日の県議会で、池田竹州知事公室長は要請しなかった理由として「１００メートル以上の火災旋風が生じていることを消防本部から聞いた」からだと説明し、「県は総合的に法令規則にのっとって判断した」と説明した。火災旋風とは聞きなれない言葉である。

火災旋風の写真である。

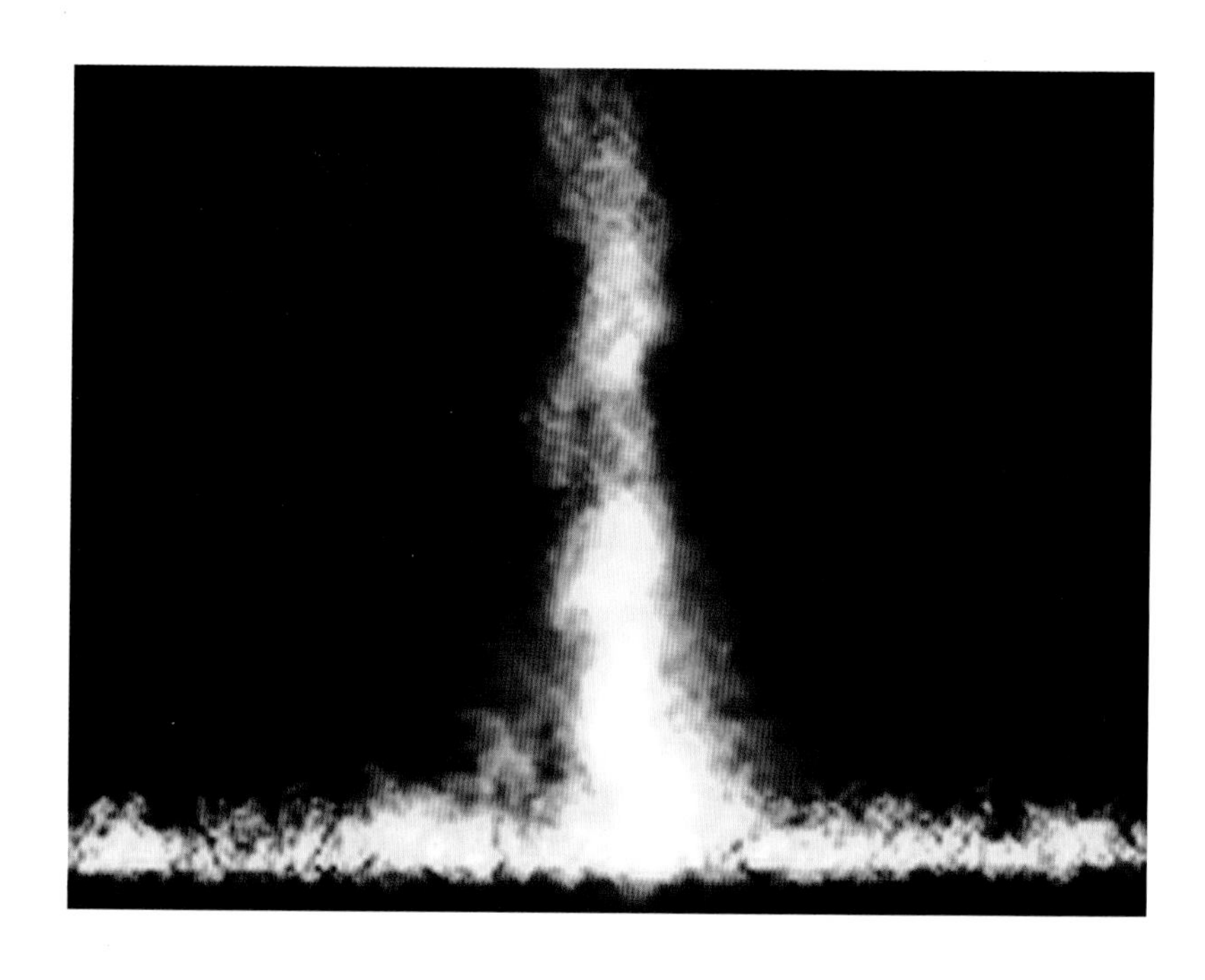

火災になった時、中央で竜巻のよう火炎が立ち上るのを火災旋風という。火柱が上がるのは中心だけであり周囲には火柱がない。火災の周囲に首里城火災でヘリが飛ばせるか否かを知るにはヘリを飛ばすしかない。ヘリを首里城に飛ばして消火活動ができるか否かは自衛隊の判断に任すべきである。しかし、県は消防本部から１００メートル以上の火災旋風が生じていることを聞いて自衛隊のヘリを要請しないことを決めたという。少しでも延焼を防ぎたいのなら無理を承知でも自衛隊に要請するのが当然である。ヘリを飛ばして消火活動は無理であると自衛隊が判断すれば諦めなければならない。ところが火災旋風が生じていると聞いてヘリ要請をしなかった。県にはなにがなんでも延焼を食い止めたいという気がなかったのである。というより、県は自衛隊のヘリによる消火活動をさせたくなかったのだ。自衛隊が消火活動をして延焼を防いだとすると、それが報道される。すると多くの県民が自衛隊に感謝する。県民が自衛隊に感謝することを一番恐れているのが石垣・宮古島で自衛隊基地建設に反対している県政の実権を握っている左翼である。

県が自衛隊ヘリを要請しなかったのは自衛隊に消火活動をさせたくなかったからである。県は最初から自衛隊のヘリ要請をしないことを決めていた。要請しなかった理由は後からでっち上げたものである。

要請しなかった理由として池田竹州知事公室長は「100メートル以上の火災旋風が生じている」ことを消防本部から聞いたからだと述べている。空中消火は難しいということを自衛隊にも確認したというが、首里城火災の写真はたくさんあり、映像もある。しかし、火炎旋風の写真や映像はひとつもない。

首里城火災の写真である。首里城は激しく燃えているのに火炎旋風は起きていない。注目するべきは煙や炎が左から右方向に流れていることである。首

里城は高台にあり常に風が吹いている。例え火災旋風が起きたとしても火災旋風は右に大きく傾いていただろう。写真のような火災旋風は無風の時に起こるのである。風のあった首里城火災の時はなかった。

例え火災旋風が生じていたとしてもヘリによる散水は可能であったと思うが、そもそも火災旋風は首里城火災では起きていなかった。写真を見れば自衛隊ヘリによる散水は可能であることが分かる。

県は最初から自衛隊ヘリを要請しないと決めていたのだ。その証拠がもう一つ見つかった。産経新聞の１１月１日の報道記事である。


陸自ヘリが消火活動に参加するためには沖縄県が災害派遣要請を行う必要があるが、県防災危機管理課は要請を検討しなかったという。担当者は「ヘリでの消火活動は数トンの重さの水を落とすので、周辺への影響もある。都市部ではヘリによる消火活動はできない」と説明する。

「産経新聞」


県防災危機管理課の担当者は最初から自衛隊ヘリ要請を検討していなかったと明言している。担当者が話した理由は明らかにこじつけである。ヘリは最大数トンの水を落とすことができるのであって、落とす水の量は調整できる。適度な水量を落とせばいいのだ。首里から海は近い。数分で行ける。何回も首里城と海を往復して海水を落とし、延焼を防ぐことができたはずだ。それに正殿の場所から住宅はかなり離れている。住宅に迷惑かけることはない。

産経新聞の記事を読めば、県防災危機管理課の説明では自衛隊ヘリを要請しなかった理由が成り立たないことが分かる。だから２２日の県議会では火災旋風のために自衛隊のヘリを要請しなかったと説明したのである。

要請しなかった理由が二つあった。とにもかくにも自衛隊ヘリを要請しないことが最初から決まっていて、そのための理由づけをした。だから二つの理由が生まれたのである。

消火活動が全然できないのを分かっていながら自衛隊ヘリを要請しなかった左翼県政

首里城火災が起きて２２日後の県議会で、池田竹州知事公室長は「１００メートル以上の火災旋風が生じていたから自衛隊のヘリを要請しなかった」と説明したが、首里城火災で火災旋風は起きていなかった証明として那覇消防署員が撮った映像をブログに掲載した。掲載して数日後にもう一つ重要な点に気が付いた。なんと正殿や北電が激しく燃えている映像には消防署員が放水している姿がなかったことである。つまり、消火活動はしていなかったのだ。

首里城に行った人ならわかる。正殿から遠く離れた首里城入り口には石門があり、消防車は入れない。そして、門の外の広場に停車できる消防車は２，３台に限られる。門以外は高い城壁がありホースを通すのは不可能である。ニュースは、

「首里城火災で同局は県消防相互応援協定に基づき沖縄市や糸満市など県内８消防本部に応援を要請。車両５３台、消防団を含め１７１人が出動した。協定を結んだ１９８８年以降、一度に９消防にもまたがった出動は前代未聞だった」と大規模な消防応援があったことを誇示している。車両５３台、消防団１７１人が消火活動をしたように思わせているが、那覇消防員の撮影した映像には消火活動をしている様子が映っていない。消防車のホースを正殿まで延ばすことはできなかったのだ。２、３のホースなら延ばすことができたかもしれないが、延ばすのに時間がかかっただろうし、ホース２、３本では延焼を止めることはできるはずがない。首里城火災の時に消火活動が全然できない状態だった。

首里城火災の延焼を止めるには自衛隊のヘリしかなかった。

そのことを那覇市の消防本部も県も知っていたはずである。知っていながら自衛隊にヘリを要請しなかった県である。自衛隊ヘリが消火しなければ延焼は広がり、自然鎮火するのを待つしかない。それを知りながら県は自衛隊にヘリ要請をしなかったのである。要請すればヘリを飛ばしたか。延焼を食い止めることができたかという問題ではない。消防車が消火活動できないと知りながら自衛隊ヘリを要請しなかったことが問題である。

県政左翼にとって首里城火災延焼を防ぐことよりも、石垣、宮古島の自衛隊基地建設反対運動を高めることが大事であるのだ。自衛隊ヘリを要請しなかったのはそれが理由である。

デニー知事は謝花副知事県庁左翼のロボットである

玉城デニー知事は日韓関係の悪化で冷え込む韓国の観光市場回復を目指す沖縄県経済界の「訪韓ミッションツアー」と１０月３０日に那覇空港を出発したが、３１日に起きた首里城火災で、韓国の予定を切り上げ帰国した。

デニー知事は翌日の１１月１日には東京の官邸に行き、菅義偉官房長官に早期首里城再建への協力を求めた後、焼失した首里城の再建に向け「復帰５０周年の節目として事業を進めていけるよう、できるだけ前倒しで計画を策定したい」と述べ、沖縄の日本復帰から５０年となる２０２２年までに再建計画をまとめたいとの考えを明らかにした。

那覇市と県がすぐに取り掛かったのは首里城再建のための寄付であった。多くの企業や団体、県内外の人々が寄付をやり、首里城再建の寄付が那覇市には開始から１２日で５億円を突破し、県にもどんどん寄付金が集まっている。首里城再建のために多くの寄付金が集まることは素晴らしいことである。素晴らしいことではあるが県、那覇市がすぐに取り掛からなければならないのは首里城再建の寄付金集めや政府への資金援助要請などではないと思う。

デニー知事の行動に奇異を感じたのは私だけだろうか。首里城火災の翌日に官邸に行ったのである。そして、たった１日しか経っていないのに首里城再建計画を復帰５０周年までにまとめるというのである。そして、寄付金集めである。首里城火災の被害状況がまだ分からないし、観光への影響も分からない状態で、首里城再建を最優先にしたデニー知事の行動は県知事としてどうだろう。デニー知事は首里城再建最優先だけにとどまらなかった。

デニー知事は１５日の記者会見で「自分たちの手でわった―首里城を再建したい」という多くの県民の思いを受け止めて、国と協議を進めていく」と述べ、首里城の所有権を県に移すことも議論すると述べた。そして、知事直轄の首里城復興戦略チームを早急に設置する方針であることも述べた。

首里城再建計画をたてたり、首里城の所有権を国から県へ移すことを提案するのは問題ではない。問題であるのは首里城焼失の直後であることである。

　玉城デニー知事は火災で正殿などが全焼した首里城は「観光の象徴的なもの」と述べ、観光の大きな損失であり、今後の観光客受け入れにも大きな影響がある」と危惧していた。であるならば観光被害をできるだけ少なくさせる努力をするのが県知事がすぐに取り掛からなければならないことである。そして、首里城見学を予定していた観光客に首里城焼失を謝罪するべきである。

　一日も早い首里城観光の復活をさせるのはデニー知事が先頭に立ってやるべきことである。幸い奉神門の表側は火災を免れている。正門などの有料コースは焼失したが無料コースは火災の被害はない。無料コースの首里城観光コースだけでも一日も早く再開させる努力をするべきである。

　首里城消失で被害を受けたのは観光客だけではない。観光客を相手に商いをしている業者も売り上げが激減して被害を受けている。

　首里城は観光地として年間２８０万人が訪れているが、首里城が火災で焼失した後は、首里城公園は閉園が続き、大型観光バスが行き交う光景は途絶えている。すでに観光客の減少に直面する事業者もあり、先行きに不安を抱えている。観光案内所を運営する人は「火災の前と比較し、足を運んでくれる人が８割近くも減っている」と嘆いている。

　突然の首里城焼失で観光客相手の業者はピンチな状態である。業者に手を差し伸べるのが県であり、デニー知事が先頭に立ってやるべきことではないだろうか。ところがさし迫った現実の問題には関心がなく、何年も後にしか取り掛かることがない首里城再建に埋没しているのがデニー知事である。

　首里城火災の影響を受ける中小企業・小規模事業者の支援に動いたのは県ではなく国の沖縄総合事務局であった。総合事務局は、

「令和元年１０月３１日に発生した首里城火災により、影響を受けられた皆様に対し、心からお見舞い申し上げます」

と首里城火災の被害者に述べるとともに、企業向けの無料相談窓口を設置した。これは真っ先に県がやるべきことである。県民救済より首里城再建に走っているデニー知事に知事としての資格はあるか・・・。と、ここまで追求を進めた時に気づいたのがデニー知事のバックに存在する謝花副知事を筆頭とする県庁左翼である。

デニー知事は韓国から帰った翌日に官邸に行き菅官房長官に会い、首里城再建への支援を要請している。３０日に韓国に行き、翌日に首里城火災のために帰国し、その翌日に官邸に行っているのだ。全然予想していなかった首里城火災への対策を考える余裕はデニー知事にはなかったはずである。数日は首里城火災の情報を集め、スタッフと今後の対策について協議するのが普通である。支援要請するにしても官邸の考えを知る必要があるし、知事ではなく副知事を派遣して官邸と意見交換するのが定番である。県知事がいきなり政府の官房長官に会って資金援助を要請するのはあり得ないことである。政治の常識を無視したやり方である。デニー知事が自分の考えでやったというより県政の実権を握っている謝花副知事をトップとする県庁左翼がデニー知事にやらせたと考えたほうがいい。

謝花喜一郎副知事は県庁のトップの地位から副知事になった。企画部長時代は沖縄２１世紀ビジョン基本計画の策定や沖縄振興一括交付金の創設など沖縄振興施策に携わった。２０１６年の翁長前知事の時に事務方トップの県知事公室長に就任した。謝花公室長は生粋の反米主義である。県知事公室長になった時、在日アメリカ軍絡みの事件や事故が沖縄県内で発生した際には沖縄県からは抗議に出向かない方針を国に伝え、政府やアメリカ側が沖縄県に説明に来るよう要求した。

２０１６年０３月１７日沖縄県那覇市内で起きたアメリカ兵による女性暴行事件で、沖縄に駐留するアメリカ軍のトップが翁長知事を訪ねて謝罪した。

２０１７年１１月２０日　沖縄駐留の米海兵隊員が那覇市で飲酒運転し死亡事故を起こした疑いで逮捕された事件で、在沖縄米軍トップを兼務するニコルソン在日海兵隊司令官は２０日午後、沖縄県庁を訪れ、翁長雄志知事に「心からの謝罪」を伝えた。

２０１９年０４月１５日　沖縄県北谷町で米海兵隊所属の男性海軍兵（３２）と日本人女性（４４）の遺体が見つかった事件を受け、在沖縄米軍トップのエリック・スミス在日海兵隊司令官は１５日、沖縄県庁で玉城デニー知事と会談し「知事と全沖縄県民に対し謝罪した。

米軍トップが県知事に謝罪するようになったのは翁長知事からであり、そうさせたのは公室長だった謝花副知事である。

翁長知事が８月８日に意識混濁となり意思決定が困難となった時に謝花副知事は緊急会見を開いて、４日翁長前知事が入院する病院を訪れた時に、翁長知事から緊急時には副知事を職務代理者とする方針を受けたと発表して、知事職務を代理した。

翁長前知事が死去し、知事選をすることになったが、県政与党は確実に勝てる知事候補を選出することができないで右往左往していた。その時に、突然県議会の新里米吉議長が翁長前知事が生前、金秀グループの呉屋守将会長、玉城デニー衆議院議員の二人の名前を事実上の後継者として挙げる音声データが存在していたと発言した。唯一、音声の確認を行ったのは新里議長だけであり誰もテープを聞いていなかった。新里議長は遺族の意向を汲み音声の公開を拒んだため、音声に疑義があるとして県議会与党の会派おきなわ内部から批判が起こった。テープの存在に疑問を持つものが増えていったが新里議長はテープの公開を拒み続けた。一週間後に親族関係者とともに音声の録音に立ち会ったという人物が現れた。その人物が謝花副知事である。謝花副知事は録音した日は８月４日であると言い、翁長前知事との会話は約２０分でありその時に翁長知事との話の中で「玉城デニー氏と呉屋守將会長の名前が出た。確定的に後継とは言わなかったが、期待しているんだなと感じた」と述べた。

すい臓がんで死去する４日前の８月４日に、翁長前知事は謝花副知事に緊急時には副知事を職務代理者とすることを話し、埋め立て承認撤回の責任者に謝花福知事を指名し、後継者にデニー氏か呉屋会長に期待することをわずか２０分で話したことになる。考えられないことである。

デニー氏が知事選に立候補することが決まり、テープのことはうやむやになったが、新里議長がテープを聞き、謝花副知事が録音したその場に居たのならテープを非公開にする理由はない。むしろ公開するべきである。公開しなければ新里議長と謝花副知事の発言の真実性が疑われる。しかし、公開しなかった。ということはテープは存在しないし、県議会議長、副知事という県政の重要なポストにいる両者が嘘をついた可能性がある。県政の重要なポストにいる両者だからこそテープ公開をしなければならなかった。

謝花副知事が直接翁長前知事から聞いたということでテープの存在が真実であるように見えるが、逆も考えられる。テープがあるように見せかけるために謝花副知事は嘘の発言をしたとも考えられる。

テープ公開をしなかったのはテープが存在しないから。これが真実である。

翁長知事が後継者として玉城デニー氏と呉屋守將会長を指名したというのは新里議長と謝花副知事のでっち上げである。

左翼政党側が県知事選に勝利するにはデニー氏か呉屋会長を立候補にするしかなかった。だから、二人の内誰かを出馬させるために新里議長と謝花副知事は芝居を演じたのである。芝居は成功しデニー氏は知事選に立候補して当選した。

当選したデニー知事を待っていたのは翁長前知事時代に築かれた謝花副知事をトップとする県庁の強固な左翼勢力であった。

県庁は謝花副知事をトップとする県庁勢力と左翼与党が政権を握っている強力な左翼政権である。デニー知事には参謀は居ない。副知事がデニー知事の参謀であるはずであるが参謀ではない。県庁左翼勢力のトップである。左翼勢力にがんじがらめされているのがデニー知事である。デニー知事は左翼が作成したスケジュールに従っているだけである。米国に行き、韓国に行き、首里城火災の翌日に東京官邸に行った。そして首里城復興に前のめりである。それは左翼がつくりあげたスケジュールに従って行動しているからである。つまり、デニー知事は謝花副知事がトップの県庁左翼政権のロボットである。

デニー知事に重大疑惑　受注企業と契約前日に会合か

沖縄自民党議員の島袋大氏が９月３０日の県議会で一枚の酒宴の写真について質問した。酒宴に参加している人たちの中のデニー知事だけが顔が見え、他の人たちは顔を隠してある。

酒宴に参加したのは「万国津梁会議」に関し、会議を支援する業務を受託した会社の代表、テニー知事の義理の息子である特別秘書、県職員、そして契約によって雇用される大学の助教授と講師であった。

この酒宴の写真をアップしたのは県職員であり、発覚後にＦａｃｅｂｏｏｋから投稿を削除した。

玉城デニー知事が今年５月、自身の政策の推進に向けて設置した「万国津梁（しんりょう）会議」の設置支援業務を公募した。６社が説明会に参加し、東日本大震災で沖縄に避難している被災者支援などで沖縄と関わりのある山形県の社団法人１社だけが企画提案を行い、受注した。受注額は２４０７万円である。業者側の会社は実績もなく代表一人の会社で、ペーパーカンパニーとの情報もある。写真の酒宴は受託した事業者と正式な契約をする前であった。

受注した山形県の社団法人の沖縄営業所所長はデニー知事の支持者で、島袋氏は「最初から受託することが決まっていた出来レースではないか」と批判した。デニー知事は「私的な懇親会だった。契約がいつかは担当部局に任せており、関知していなかった」と答弁し、問題はなかったとの見解を示した。県も職員が参加したことに問題はないと答弁した。デニー知事は私的な懇親会であるから問題はないというが、私的な懇親会だから逆に問題である。つまり、県の受注が私的な懇親会で決まるとも言えるのだ。

今後自民党県連はどのようにデニー知事を追及していくだろうか。デニー知事が返答に困る状態まで徹底して追求していくことができるか。そこが問題である。県議会で追及するだけでなく、問題の写真を県民に見せ、反デニー知事の渦を巻き起こすことも重要である。県議会でデニー知事を追い詰めたとしても、その事実を県民が知らなければデニー知事の人気は維持されるからだ。

問題は次の県議会選挙と知事選で自民党が勝つか

否かである。県議会でデニー知事を追い詰めて満足するようでは駄目だ。むしろ、写真を多くの県民に見せてデニー知事が業者と癒着している可能性を県民に知ってもらうことが重要だ。

来年の県議会選の頃には辺野古側の埋め立てはかなり進む。移設に反対することが無駄であることを県民は認識するだろう。辺野古埋め立て反対に加えて業者との酒宴は県議会選で自民党県連を有利にする。

所長が退職　ますます談合の疑いが

なんと万国津梁会議の支援業務を受託する子ども被災者支援基金（山形県）の沖縄事務所長の徳森りま氏が９月３０日付で同基金を退職していた。万国津梁会議の支援業務委託を巡っては、玉城デニー知事が受託業者と契約前日に会食をしていたことが県議会で問題となり、徳森氏も会食に参加していた。退職したのは会食に参加していた理由以外に考えられない。沖縄事務所長であるにも関わらずこんなにあっさりと退職できたのは徳森氏が被災者支援基金にとって必要な人物ではなく、腰掛として所長の座に座っていたと考えられる。

会食に参加しているメンバーは若い。彼らは談合を仕切っていたのではなく「上」の指揮通りに行動していただけにすぎないだろう。デニー知事も談合を仕切るグループから外れている存在であるだろう。

戦後沖縄の象徴的な民謡「時代の流れ」

戦前の那覇市

１０１０空襲後の那覇市

毎年沖縄の新聞もテレビも大きく取り上げるのが１０月１０日の那覇空襲である。

１０１０空襲で那覇市が焼け野原になった。多くのマスメディアは戦争のひどさを伝えて終わる。

焼け野が原の那覇市を見た人たちは戦後の沖縄の人たちは暗く貧しい生活を送っていただろうと予想するだろう。戦後は米軍の植民地であったと左翼はいうから左翼の話を信じた人は沖縄の人々が暗く貧しい生活を送っていたと信じているだろう。しかし、それは事実ではない。

戦後の経済は復興し戦前の数倍もよくなった。戦後の沖縄は戦前に比べ明るく自由になった。その事実を知ってもらうために、沖縄の戦後を象徴する民謡「時代の流れ」を紹介する。

時代の流れ

一、唐の世から大和の世　大和の世からアメリカ世
　ひるまさ変わたるこの沖縄

○唐の世から大和の世、大和の世からアメリカの世、不思議に変わってきたこの沖縄

二、昔　銭の計算んや一貫二貫どさびたしが今や計
　算まで変わて

○昔のお金の計算は一貫二貫であったが、今は計算まで変わってしまった。

三、昔の那覇の行ち戻いん　歩っちる我たや行ち
　ゃびたしが　今や居ちょて行ち戻い　昔の面影む
　るねらん

○昔の那覇の行き戻りは歩いて行き来したが、今は座ったまま（バス）で行き来する。昔の面影はまったく無い。

四、昔年老と若さしや着物の模様しど分かさびたる
今や差し分ちきらららん　親子　むるっ子　ちゅとんしんちゅ

○昔は年寄りと若いのは着物の模様で区別できたが今は区別できない　親子も皆んな同い年だ。

五、昔女のたしなみや、髪の長さしでえびたる　今や昔とうち変て　生いとる髪んうしちみやい　パーマネントしけえちじゅらち　まーん変わらん鳩の巣

○昔は女のたしなみは髪の長さであったが、今は昔とすっかり変わって生えている髪をばっさり切ってパーマネントにして髪を縮らせている。鳩の巣とちっとも変わらない。

六、あど高靴小やけえくまい　ウンブイコーブイ歩つちゆしや　すっとん変わらん風吹ち鳥

○かかとの高い靴（ハイヒール）を履いて、よたよたよろよろ歩くのは強風の時に富んでいる鳥とまったく変わらない。

七、タイトスカートけえ着やい　ちんしやとがらち尻まぐらち　まーん変わらん七面鳥

○タイトスカートを着て、膝を曲げてとがらし、尻を右左に揺らして歩くのは七面鳥とちっとも変わらない。

八、何時まで心や十七、八、眼の子の達の合点さん自然とまぐりて行ちゃびんで

○いつまでも心は十七、八だが、　眼のある子たちが納得しない　自然にまかせて生きていこう。

パーマ、ハイヒール、タイトスカートの女性を皮肉っているが雰囲気は明るい。自由で平等になった沖縄を感じさせる琉球民謡である。戦後の沖縄は左翼のいう軍事植民地ではなく、自由で明るい沖縄だったのだ。米国は議会制民主主義国家である。　沖縄の民主化を進めたのは米国である。　このことを知ってほしい。

世界経済戦争に入った日本TPP・米国FTA・中国一帯一路

米国と中国の貿易戦争　世界の経済戦争が激しくなってきた　それを歓迎する

経済世界一位の米国と二位の中国が貿易戦争になった。激しい交渉の末に米中両政府は13日、貿易協議の「第一段階」で正式合意したと発表した。

米中貿易戦争は2018年3月にアメリカのトランプ政権が中国が知的財産権を侵害していると断定し、輸入品に高い関税をかける制裁措置を発表したのが始まりだった。制裁措置は通商法301条に基づくもので、USTR＝アメリカ通商代表部は、中国による知的財産権侵害の「強い証拠」を確認したと発表した。

トランプ大統領は、

「とてつもない知的財産権の侵害にあっていて、1年間で数千億ドルの損失を被っている」と発言し、中国からの幅広い輸入品に最大500億ドル相当の高い関税をかけた。米国が高関税をやると中国も対抗して高関税をかけ、高関税の掛け合いの中で農産物の輸入拡大など米国の要求は拡大していった。米国が制裁圧力を加えて中国に要求していたのが、

（１）知的財産権の保護
（２）米貿易赤字の削減
（３）国際競争をゆがめるハイテク産業への補助金廃止。
（４）対中赤字を２０００億ドル（約２２兆円）減らす。

等々である。中国は米国の要求に応じることはなく、対抗して関税を高くしていった。

中国の知的財産権侵害に対抗する制裁関税の発動を前に、トランプ大統領は

「貿易戦争を始めるのはわれわれではない。負け続けてきた戦いを終わりにするだけだ」。

と発言した。

そして、

「制裁対象はいずれ５０００億ドル（約５５兆円）を超える」

と言い放ち、対象製品は今回の１０倍に膨らむと脅してみせた。高関税のかけあいは米中だけでなく世界経済にも悪影響を及ぼした。

２０１８年１２月にトランプ米大統領と中国の習近平（シージンピン）国家主席は電話会談して、貿易摩擦の緩和に向け、協議を進めることで一致した。協議は難航したが一年後の１２月１３日に貿易協議の「第一段階」の合意をした。

「第一段階合意」についてアメリカの政府高官は、中国が知的財産権の保護や技術の強制移転の是正などに取り組み、２年間でアメリカの農産品を年４００億ドルから５００億ドル購入すると発表した。

中国の王受文商務次官は、合意内容は知的財産権、農産品など９つの項目に及ぶとしたうえで、アメリカ側が段階的に追加関税を撤廃することで合意したことを明らかにした。その中の６つの合意について説明する。

（1）知的財産権の保護。

米国が最初に求めたのが外国企業や研究機関の知的財産権の保護であった。しかし、中国は米国の要求を蹴った。それから米国による輸入品に対する高関税が始まった。第1段階合意がこの項目を含んでいることは大きい、中国側が米国側の要求に応じて知的財産権への保護を約束したのであ

る。

（2）技術移転強要の破棄。

中国は今までに外国企業に対して技術の移転を強要してきた。米国側は貿易協議で是正を中国側に強く求めてきた。中国側は米国の要求に応じて外国企業に対する技術移転の強要を止めることを承諾した。

（3）食品と農産物を米国側の要求に応じて米国から大豆や豚肉などの食品・農産物を大量に購入する。

（4）中国国内の金融サービスの外資に対する開放。

（5）為替を透明にする。

米国側がずっと問題視してきたのが中国政府による為替操作である。透明の合意によって中国側が為替の操作を控え、透明性を高めることになる。

（6）貿易拡大。

中国は米国の要求に応じて米国からの農産物などの輸入を大幅に増やす。

6つの合意が実現すれば米国と中国の貿易は大きく前進するだろう。中国が本当に実行するのか米国は徹底して監視しなくてはならない。

米国と中国の経済戦争を見ていると57年前のキューバ危機が脳裏に浮かぶ。私が中学一年生の時である。

キューバ危機

1962年10月から11月にかけて、ソビエト連邦がキューバに核ミサイル基地を建設していることが発覚、アメリカ合衆国がカリブ海でキューバの海上封鎖を実施し、米ソ間の緊張が高まり、核戦争寸前まで達した一連の出来事のこと。

小学生の時から、第三次世界大戦は核戦争になると聞かされてきた。核戦争になれば米軍嘉手納飛行場に核ミサイルが撃ち込まれる。近くに住む私たちだけでなく沖縄の人は全員死ぬと聞いていた。子供ながらそのことを信じていた。米国とソ連の戦争は世界大戦になり沖縄に核ミサイルが撃ち込まれて私たちは死んでしまうと私は本当に信じていた。

キューバ危機は回避され、核戦争の危機はなくなった。回避されたのはケネディ大統領の勇気ある決断があったと言われていた。私にとって核戦争を阻止したケネディ大統領はヒーローだった。

少年雑誌は核戦争について頻繁に掲載していた。

核戦争が起こり、シェルターに非難した家族が核爆弾が落ちた後の廃墟と化した地上に宇宙服のような防護服を着て出ていき生活する様子を描いたＳＦ小説があった。ＳＦ小説を読んだ私は、核戦争が起こったら生き残った方がいいのか、それとも死んだ方がいいのか悩んだ。悩んだ結果私の結論はなんの楽しみのない廃墟の世界で生きるより死んだ方がいいだった。その気持ちを中学三年生の時に校内弁論大会で発表した。生徒も教師も、

「又吉は意味の分からんことを話している」

「第三次世界大戦?、核戦争?、又吉の妄想だ」

と苦笑したと思う。

核戦争は免れたが、ソ連、中国を中心とした社会主義国家圏と米国、ＥＵを中心とした民主主義国家圏の緊張した対立は続き、ベトナム戦争など極地的な戦争は続いた。それが私の若い頃の時代であった。

米国と中国の貿易戦争で妥協することができないで主張は平行線が続き、対立がますます激化した時にキューバ危機のように武力戦争の危機に発展していくか・・・。私はこのことに非常に関心を持っている。結論は明白である。絶対に武力戦争の危機には発展しない。戦争をすれば貿易がストップする。ストップすると両国とも経済悪化の危機に陥る。特に中国の経済悪化はひどくなり中国経済は破綻するだろう。経済破綻すると国民の政府への不信は高まり、習近平独裁国家の崩壊につながるだろう。ソ連が崩壊した原因も経済崩壊だった。崩壊してしまうような戦争をやるはずがない。

貿易戦争が武力戦争に発展することは絶対にない。経済の一番の敵は武力戦争である。経済が発展した国同士の武力戦争はない。世界第一位と二位の米国と中国の武力戦争は絶対に起こらない。それが私の考えである。貿易・経済戦争は平和を前提とした戦争である。

１９９１年に強大なソ連が崩壊した。一方中国は世界二位の経済大国になった。

１９６２年には社会主義国家トップのロシアと米国がキューバミサイル基地問題で戦争危機に陥った。２０１８年には社会主義トップとなった中国と米国が貿易戦争になった。同じ戦争であるが１９６２年は武力戦争であり、２０１８年は経済戦争である。経済戦争は武力戦争に発展しない。歴史は武力戦争

時代から経済戦争時代に変わったのである。

ベトナム戦争の時、嘉手納飛行場から毎日重爆撃機B52が飛び立ち、ベトナムに爆弾を落とした。ベトナム攻撃の基地が沖縄であったし、日本であった。敵対関係にあったのが日本とベトナムであった。しかし現在はベトナムは社会主義国家であるが、経済発展を目指してTPP11の加盟国になっている。昔武力戦争で敵対していた日本とベトナムが経済を通じて友好国になったのだ。素晴らしいことだと思う。

中国の労働者の賃金が高くなってきたので中国の外資企業が賃金の安いベトナムに移動している。外国資本が増加しているベトナムはかつての中国のように経済が急成長している。ベトナムの経済成長はTPP参加国の経済成長にも大きなプラスになるだろう。

世界は経済戦争時代に入った

世界一位の米国は「アメリカナンバーワン」を掲げて各国とFTA交渉を展開している。世界二位の中国は一帯一路で世界拡大を目指している。米国、中国に続いて世界三位の日本はTTPで経済戦争に参加している。米国、中国は一国対一国の交渉で拡大を目指しているが、日本はTPPという複数国の協約を基礎とした経済拡大を目指している。、現在は11か国が加盟している。協約に賛成であればどの国でも加入できる。EUを離脱する英国はTPP加入を宣言しているし、台湾も加入を希望している。

アジアでは日本や中国、東南アジア諸国連合（ASEAN）など16カ国が参加する東アジア地域包括的経済連携（RCEP）の閣僚会議が進められている。成立すれば世界最大規模の自由貿易協定となり、世界の人口の半分とGDPの約3分の1をカバーする。

日本、中国、韓国三か国のFTA交渉も進んでいる。日本とEUは貿易や投資など経済活動の自由化による連携強化を目的とする経済連携協定を結んだ。

米国FTA、中国一帯一路、日本TPPを基軸とした世界経済戦争は熾烈になっているが、経済戦争が拡大すればするほど経済は発展し、武力戦争は減っていく。経済一位の米国がいないのがアジアである。経済二位の中国と三位の日本が存在するアジアである。一帯一路とTPPの熾烈な経済戦争はあるが平和で経済発展のアジアになるだろう。

アホらしいＭＭＴ

見ている番組がＣＭに入ったので、チャンネルを報道ステーションにした。するとＭＭＴの解説をしている最中であった。国の予算を消費税を上げるのではなく国債にするべきであるという説明をしているところだった。インフレにならない程度に国は借金をしてもいいというのがＭＭＴである。テレビで問題になったのがどれだけの借金でインフレになるか分からないことであった。

解説者はインフレに気付いた時には手遅れであると言った。インフレになるかならないかを予測することができないのにインフレにならない程度に国の借金をどんどん増やすのは危険である。こんな危険な国の借金論に賛成する国民は少ないだろう。報道ステーションを見ていたほとんどの視聴者はＭＭＴ論に不信感が募ったはずである。

報道ステーションでは問題にしなかったがＭＭＴにはもうひとつ大きな欠点がある。

国債を発行して消費税分を補った場合、もし、インフレになって国債を発行できなくなった時、どうするかである。安定した予算を確保するためには消費税を復活させるしかない。しかし、ＭＭＴ提唱者は消費税をアップすると不況になるという。不況を避けるためには消費税をアップできないし、国債を発行することもできないとなれば国家予算が大きく削減されてしまう。ＭＭＴは国家予算を不安定にする経済論である。

来日したＭＭＴ提唱者のステファニー・ケルトン教授は、

「税金は支出能力の調整を通じてインフレをコントロールするためのもの。インフレでないなら消費増税は意味をなしていない」

と記者会見で述べていた。アホらしい税金論である。

税金は社会保障、教育、生活向上、防衛など国民が安心して生活できるように企業や国民から徴収するお金である。国民生活のための税金であってインフレをコントロールするための税金ではない。インフレをコントロールするための税金なら多くなったり少なくなったりして税収が毎年変化する。国を不安定にするＭＭＴ流の税金論である。税金はできる限り安定したほうがいい。

ＭＭＴはModern Monetary Theoryの略語であり、日本語では現代貨幣理論であるという。ＭＭＴは経済論ではない。経済論の一部である貨幣論である。貨幣論だから、日本国が２４０％の借金をしてもデフレが続いている原因を解明はしない。貨幣論の範疇からはみ出るからだ。解明しないというより解明する能力がないかもしれない。

ＧＤＰの２４０％もの借金をしたのにインフレにならないし、経済は安定しているのが日本である。日本の現象を見て、米国も赤字国債を発行しても大丈夫であると主張しているのがＭＭＴである。日本の現象を根拠にした米国のＭＭＴを輸入したのが日本のＭＭＴ論者である。日本経済を自分の目で見る能力がなく米国の目を拝借するしかない無能な者たちが日本のＭＭＴ論者である。アホらしい。

日本経済を自分の目で深く直視して、デフレの原因を解明してほしいものである。

ＭＭＴ提唱者は赤字の増加を防ぐために民主党が提案した、増税またはそれに見合った支出削減のいずれかによって財源を補填することを義務付けるペイアズユーゴー　原則には反対し、民主党下院議員ロー・カンナと共に進歩派政策を骨抜きにするものだとして非難している。税制案の財源については「国家にとって赤字はそもそも問題ではない」という現代貨幣理論（ＭＭＴ）に依拠している。大恐慌を引き合いに、グリーンニューディールにも元のニューディール政策のように（赤字の）支出が必要であると述べている。

ＭＭＴ「民主主義」の真っ赤な嘘

ＭＭＴ信奉者の三橋貴明氏はブログで、

「ＭＭＴは『民主主義』や『反・排外主義』と密接に関係があるのは確かなのです。日本において民主主義の重要性や排外主義の排斥を叫ぶ人こそ、ＭＭＴを支持しなければならないのです」

と書いている。

ＭＭＴは経済学であり、独自の理論があり、ＭＭＴと政治の民主主義はつながらないと思っているが、三橋氏は「民主主義」支持者はＭＭＴを支持するべきだとブログで主張している。経済論のＭＭＴと政治の民主主義は性質が違う。ＭＭＴが日本経済を救うという主張なら納得できるが「民主主義」支持者かＭＭＴを支持しなければならないというのはおかしい。三橋氏は政治と経済の本質的な違いを理解していない人である。三橋氏ならこれもありなのだろう。

三橋氏はイギリスが国民投票でＥＵ離脱を決めた時、ＥＵ＝グローバル、イギリス＝反グローバルと決めつけてイギリスを支持した。それからは反グローバルを主張する三橋氏である。政治はローカルであり反グローバルであるが経済はグローバルである。三橋氏は政治と経済の性質の違いを理解していない。

イギリスのＥＵ離脱は政治は反グローバルであるのにＥＵが政治もグローバル化したことに対するイギリス国民の反発が原因だった。しかし、経済はグローバルである。ＥＵから離脱すれば反グローバルである政治にはプラスになるが、グローバルである経済には大きなマイナスになる。だからメイ首相は経済はＥＵとグローバルな関係を維持しようとした。イギリスがＥＵ離脱を決めていながら離脱に時間がかかっているのは政治＝反グローバル、経済＝グローバルであるのに、ＥＵ離脱で経済も反グローバルにくくられてしまうからだ。ＥＵ離脱は政治にとってはプラスであるが、経済にとってはマイナスである。

政治はローカル＝反グローバル、経済はグローバルである。政治と経済の違いを認識できないで反グローバル一辺倒なのがＭＭＴ信奉者の三橋貴明氏である。

ＭＭＴではどのように経済と政治の関連を論じているかを調べてみた。するとＭＭＴの論理の脆弱さを民主主義と絡めることによって正当化しようとしていることがわかった。

ＭＭＴ論者の中野 剛志氏は、「通貨の価値を保証するのは、政府の徴税権力である」と述べ、日本でも、憲法第８３条において、国会が予算や税を議決する「財政民主主義」を定めていると日本が財政民主主義であることを指摘している。ところが主流派経済学を登場させることによって政府の民主政治をおかしくしていく。

中野氏は、民主政治は貨幣価値（物価）を調整するうえで、決定的に重要な役割を担うこととなるが、主流派経済学には、とうてい受け入れられるものではないと述べている。民主政治が財政を決め、物価の調整に深く関与することを、主流派経済学は極端に恐れるというのだ。だから、主流派経済学は、財政規律を重視し、民主政治による財政権力に制限を加えようとすると中野氏は指摘する。そして、主流派経済学は「中央銀行の独立性」を強調するが、それは、民主政治からの「独立性」を意味していると中野氏は批判する。しかし、その批判は主流派経済学に対する批判であって日本の財政政治に対する批判ではない。日本は民主政治なのだから中央銀行は独立していない。ところが中野氏は、現実の経済運営は、政府の主流派経済学への理解に基づき、中央銀行の金融政策が主導するものと述べ、主流派経済学が中央銀行を乗っ取ったような話を展開するのである。

中野氏は、現実の財政運営は、中央銀行の金融政策が主導するものとなり、財政政策に対する評価は消極的・否定的なものとなったというが、中野氏の理屈はおかしい。中野氏は日本は、憲法第８３条において、国会が予算や税を議決する「財政民主主義」を定めていると述べている。そうであるならば中央銀行が独立できるはずはない。しかし、中野氏は中央銀行は独立し、主流経済派の金融政策が政府の財政政策の主流となっているというのである。中野氏の指摘は明らかに間違っている。決して日本銀行が財政政策を主導していることはないし、日本銀行が主流経済派に支配されていることもない。財政政策は政府が主導しているから「財政民主主義」を貫いている。

中央銀行の独立を主張しているのが主流派経済学だとしても民主主義の日米政府は主流派経済学に従っていない。それが現実だ。

国の借金はＧＤＰの１００％内に抑えるべきであると主流派経済学は主張しているとＭＭＴ論者は指摘している。ところが米国政府の借金は２０１２年に１０１％となり、主流派経済学が主張している１００％以内を超えた。その後も借金は増えて２０１８年は１０７％に拡大している。米国政府が主流派経済学に従っていないことは政府の借金を見れば一目瞭然である。

日本政府は１００％越えどころか２４０％以上になっている。米国も日本も主流派経済学を経済政策に採用していないというのが事実である。むしろ主流派経済学ではなくＭＭＴの主張を実践していると言える。

ところがＭＭＴ論者は反民主主義の主流派経済学の金融政策主導の経済運営を実施しているのが日米政府であり、それが原因で経済が完全に行き詰ったというのである。米国も日本も民主主義国家だから政府が財政を決めている。もし、米国、日本の経済運営が行き詰っているとしたら主流派経済学による中央銀行の独立が原因ではなく民主政治による財政政策が原因ということになる。政策に採用していない主流派経済学に原因はない。ところがＭＭＴ論者は、主流派経済学の独裁制に原因があると決めつけ、経済政策を民主化すべきだと主張するのである。すでに民主化されている経済政策を民主化しろというのはＭＭＴ論者のおかしな主張である。

経済には経済の法則がある。経済の法則に則った経済政策を提供するのが経済論のあるべき姿である。ＭＭＴ論者にとって必要なことはＭＭＴの正当性を国民に理論的に説明して理解させることである。ところがＭＭＴ論者は、主流派経済学に基づいたエリート主義的な経済運営が失敗に終わった以上、民主政治の判断でＭＭＴの主張する財政政策を発動するほかはないと言うのである。民主政治の財政政策＝ＭＭＴが主張する赤字国債の拡大発行である。

ＧＤＰ比を無視したＭＭＴの主張はハイパーインフレにならない程度に国債を発行して国の借金を増やすことである。そうであるならハイパーインフレにならない程度の国債発行の限度を明確にするべきである。例えばＧＤＰ比で５００％まではインフレにならないとか、ＧＤＰ比の５０％以内の国債発行なら永遠にハイパーインフレにならないとか。経済専門家なら経済論による数式を示すべきである。しかし、ＭＭＴ論者は数式を明示しない。その代わりにＭＭＴ＝民主主義を強調する。

ＭＭＴ論者は「民主政治をより賢明なものにするか否かは、われわれ国民の責任にかかっている」と述べて経済学的な数式や理論を展開するのではなく、「財政規律などインフレを抑制する制度を導入するにしても、国民が民主的に決めなければならないのだ」と国民に責任転嫁をする。

ＭＭＴ論者は、

「日本の政治、そして日本国民が、財政支出を拡大しすぎて超インフレを引き起こすほど愚昧だとはまったく思っていない。普通に考えて、国民が、自分たちの生活を破壊する超インフレを招くような政権を支持するはずがないではないか。『ＭＭＴを実行したら、超インフレになる』などという者は、日本の有権者をバカにしているのだ」

とハイパーインフレを阻止するのを国民の責任に転嫁している。

超インフレを引き起こすか否かは国民が判断できるものではない。超インフレになる兆しが表れた時には手遅れである。超インフレになるか否かの見極めを示すことができないＭＭＴ論者は見極めを国民に押し付けるのである。

ＭＭＴ信奉者の三橋貴明氏はブログ「ＭＭＴで国民が豊かになる日本を取り戻す」で、

「２％(例えば)のインフレ率を財政基準と設定し、その前後でインフレ率が推移するように財政支出をコントロールする。３％、４％とインフレ率が上昇するならば、翌年の予算を抑制気味にする」

と述べ、「ただ、それだけの話なのでございます」と、ＭＭＴはハイパーインフレになると主張するＭＭＴ批判者に反論している。

三橋氏はハイパーインフレぎりぎりまで国債を発行すればいいという考えである。そうなると国債発行枠に余裕がなくなる。年ごとに国債を増やしたり減らしたりしなければならない。

国家予算でもっとも重要なことは予算が安定することである。国家予算が毎年上下すると安定しない国家予算のために国が不安定になる恐れがある。三橋氏はインフレ率が高くなれば予算を削減すればいいというが、それでは安定した国家予算は組めない。安倍政権が消費税２％アップにこだわるのは安定した収入を確保して、不安定な国家予算を避けたいからである。ＭＭＴ論は国家予算作成に向かない国債発行論である。

２０１３年に安倍政権になった時、国の借金は９００兆円を超え、１０００兆円の手前だったし、株価は１万２５５円であった。１０００兆円を超えたら経済はパニックになるというのが定説であった中で安倍政権は１０００兆円を超えた。しかし、経済専門家が指摘したようなパニックは起こらなかった。そして、株価も上昇し現在は２１，７２９円と１万円以上もアップしている。経済を復興させていった安倍政権を国民は支持し続けた。安倍政権はＭＭＴ理論が登場する前にＭＭＴ理論を実践し主流派経済学を打破したのである。

　安倍政権の財政政策はＧＤＰ２４０％の借金をしながらもハイパーインフレどころかインフレにもならなかった。経済学の常識を覆したのが安倍政権だった。安倍政権の実績を参考にして米国で生まれたのがＭＭＴである。米国のＭＭＴを無批判に輸入して気を吐いているのが日本のＭＭＴ論者である。

　安倍政権のぎりぎりの闘いなしにはＭＭＴ論は生まれなかった。ＭＭＴ論者はＭＭＴの先駆者である安倍政権に消費税２％アップするな国債を発行しろと主張するのである。主張する前に日本のＭＭＴ論者は２４０％も借金したのにハイパーインフレにならなかった原因を解明するべきである。

　２４０％の借金でもハイパーインフレにならなかった原因は解明しないで米国のＭＭＴをそのままそっくり輸入して、ＭＭＴの先駆者である安倍政権が消費税２％アップしたらリーマンショック以上のショックが起こると断言して安倍政権を批判しているのが日本のＭＭＴ論者である。安倍政権は消費税２％アップしてもリーマンショックのようなショックはないと予想しているから２％アップしようとしている。ＭＭＴ先駆者の安倍政権とＭＭＴ論者のどちらが正しいか。ＭＭＴ論者が正しければ安倍政権は国民の信用を失い崩壊する。安倍政権が正しければＭＭＴ論者は話題を変えて別の方向から安倍政権を批判するようになるだろう。

　安倍政権を支持しているのが国民である。ＭＭＴは国民が間違った選択をしようとしているというのである。しかし、ＭＭＴを実施した時にハイパーインフレを国民が感じた時は手遅れである。そんないい加減なＭＭＴを国民が支持することはない。

香港は民主主義運動
韓国は左翼運動

香港は五大要求の２００万人デモが起こった。韓国は日本製品不買、日本旅行忌避の運動が起こった。

私がすぐに認識したのは「香港は民主主義運動」「韓国は左翼運動」である。対照的な運動が同じ時期に起こり、激しく展開している。

香港民主主義運動の敵は官僚独裁国家中国であり、韓国左翼運動の敵は民主主義国家の安倍政権である。二つの運動の展開を分析しながら民主主義と左翼の違いを明確にしていこうと思っている。

民主主義運動
　香港
　　普通選挙要求運動
左翼運動
　韓国
　　日本製品不買運動　日本旅行中止運動
　　慰安婦は性奴隷運動　徴用工搾取被害運動
　沖縄
　　辺野古飛行場建設反対運動
　　宮古島自衛隊基地建設反対運動
　　石垣自衛隊基地建設反対運動

香港の民主主義運動は負けないのだ

中高生が警官に撃たれる　しかし、民主化運動は拡大し続ける

　香港デモで１日に男子高校生が警官に左胸付近を撃たれた。４日には中学生が私服警官に太ももを撃たれた。発砲したのは身の危険を防ぐためであったと香港警察は弁解している。大学生や成人ではなく中学生や高校生が撃たれたことに驚いた。香港の民主化デモは非暴力の市民デモであるが、一部に過激な行動をする集団も居る。警察に撃たれたのが中高生であるのは過激な行動に中高生も参加しているということだ。

　香港の民主化運動は中学生にも浸透しているのだ。そして、若さゆえに怒りを抑えることができなくなり過激な行動に走った・・・。しかし、警察が中高生を撃つなんて許されることではない。

　香港の検察当局は銃撃された高校２年の男子生徒を暴動罪と警察官襲撃罪による裁判手続きを開始した。それは警察の実弾射撃を正当化するためだ。

　香港の林鄭月娥（キャリー・ラム）行政長官は４日、諮問機関、行政会議の臨時会合を開き、「緊急状況規則条例」（緊急法）を発動し、デモ参加者のマスク着用を禁止する「覆面禁止法」を緊急立法で制定した。

　警察の発砲、訴追、覆面禁止法と香港政府の民主主義デモへの弾圧が強化されている。しかし、香港の民主化運動は着実に浸透し拡大している。香港政府の弾圧に屈することはない。

香港デモの五大要求

（１）条例改正案の撤回
（２）デモの「暴動」認定の取り消し
（３）警察の暴力に関する独立調査委員会の設置
（４）拘束したデモ参加者の釈放
（５）普通選挙の実施

五大要求の中の条例改正案は香港政府が撤回した。

五大要求の中に普通選挙の実施が含まれているか

ら香港デモは民主化運動である。

市民を守るべきはずの警官の中高生への発砲は中高生の警察への激しい怒りと不信が増した。

五大要求は普通の市民が理解し賛同する要求である。だから、中学生から老人までデモに参加するのだ。中国政府が軍隊を派遣すれば確実に鎮圧できるが、それをすれば世界から非難されるだろう。米国との貿易戦争にも悪影響を受ける。だから、軍隊で鎮圧することはできない。

香港の民主化運動は香港政府と中国中央政府のどんな圧力を受けても負けることはない。絶対にだ。

香港は民主主義運動　辺野古は反民主主義運動　違いを認識しよう

沖縄タイムスの「父母への遺書持ちデモ　香港の学生、民意無視する政府と闘う　現地大学の沖縄出身教員『沖縄の若者も声上げて』」には頭にきた。。

タイムス記事

竹富町小浜島出身で香港理工大学日本語教育のプログラムリーダーを務める松本真澄さん（教育学博士）が本紙の取材に対し、香港政府が中国本土への容疑者引き渡しを可能にする「逃亡犯条例」改正案撤回を表明した後も「デモは激しくなっている」と話し、緊迫する現地の状況を明らかにした。名護市辺野古の新基地建設反対で闘う沖縄と香港の現状を重ねながら、「沖縄の若い人たちにもっと地元のことに関心を持って、関わってほしい。香港を見習ってほしい」と呼び掛けている。

沖縄タイムス

松本真澄さんは香港の五大要求運動と辺野古の飛行場建設反対運動を同一視している。冗談ではない。香港の五大要求運動と辺野古移設反対運動は全然違う。香港は民主主義の運動であるが辺野古は反民主主義の運動である。

香港は普通選挙の実現を要求している。普通選挙は沖縄ではすでに実現している。戦後の日本では香港のような民主化運動はなかった。なぜならすでに選挙制度は確立し、三権分立も確立していたからだ。戦後の日本は民主主義国家になっていた。だから香港のような民主化運動は起こらなかった。

学生運動は資本主義社会を否定し、社会主義国家を目指す運動であった。社会主義は議会制民主主義を否定し普通選挙も否定していた。学生運動は民主主義を否定する社会主義運動であった。

　辺野古移設反対運動は議会制民主主義を否定した学生運動と同じである。

　日本は議会制民主主義国家であり、法治主義である。辺野古移設は民主主義のルールによって決まった。

・辺野古沖移設が反対運動によって断念。
・県外移設の断念。
・沖縄地元の辺野古移設反対で辺野古移設決まらず。
・Ｖ字型滑走路で政府と名護市長が合意。
・辺野古埋め立てで政府と県知事が合意。
・民主党政権になり鳩山首相が県外移設宣言。
・受け入れ自治体は一つもなく県外移設断念。
・２０１０年民主党政権が辺野古移設最終決定。

　複雑で困難な過程の中で辺野古移設は決まったのである。辺野古移設が決まるまで法律のルールに従った民主的な手続きにのっとっていた。

　現在の辺野古移設反対運動は政府と県、名護市の合意によって実現した辺野古移設を否定していることになる。それは民主的な手続きを否定することであり民主主義を否定することである。辺野古移設反対運動は左翼による反民主主義運動である。香港の民主主義運動とは根本的に違う。ところが松本真澄さんは香港の民主主義運動と辺野古移設反対運動を同じ運動とみなしている。


　松本さんは香港に住んで２７年になる。「沖縄のことを常に気に掛けている」とし、オンラインニュースなどで情報を収集する。新基地建設問題について、「日本政府は沖縄県民に寄り添うと言いながら、県民の声を聞こうとしない。これまでの選挙で何度も県民の民意が示されてきたのに」と苦言を呈す。民意を無視する日本政府の姿勢は香港政府と「似ている」と批判する。

沖縄タイムス

　松本さんは県内の友人や親戚と連絡するときに「辺野古の海を絶対守らないといけない」と話し合っているという。辺野古埋め立てを初めて半年になる。大雨や台風が襲ってきたが辺野古の海が汚染されたことは一度もない。辺野古の海を守りながら埋め立てをしているのだ。辺野古の埋立て写真をみれば分かることだ。日本には公有水面埋立法があり、埋め立ての時に汚染することを禁止している。もし、辺野古の海を守るということが汚染されないことであるなら埋め立てをしても辺野古の海は守られている。松本さんの「辺野古の海を絶対守らないといけない」の考えで飛行場建設に反対するのは間違っている。

「日本政府は沖縄県民に寄り添うと言いながら、県民の声を聞こうとしない。これまでの選挙で何度も県民の民意が示されてきたのに」は左翼が得意とする民意論である。左翼が主張している通り辺野古移設反対の県知事であり、国会議員も多数を占めている。県民投票では7割以上の票が埋め立て反対だった。民意は辺野古移設反対である。ただ、民意といっても県民の民意であって国民の民意ではない。

米軍飛行場である普天間飛行場を辺野古に移設することは米国政府、日本政府、沖縄県の三者の合意によって決められなければならない。特に地元の沖縄県が賛成しないと決めることは絶対にできない。県は政府と同等の権利があるのだ。

辺野古移設は三者の合意があって決まった。三者の合意によって決まったのだから辺野古移設を中止するには三者の合意が必要である。沖縄県だけの民意で中止はできない。これが政治の世界の民主主義である。沖縄県だけの民意だけでは三者の辺野古移設合意を破棄できないということだ。それは米国も日本も同じだ。もし、沖縄の民意が優先されるのであれば沖縄の権利が優先されることになるが、それは不平等であり民主主義の原則に反する。

松本さんは「日本政府は沖縄県民に寄り添うと言いながら、県民の声を聞こうとしない」というが、安倍政権は県民の声をちゃんと聞いている。聞いたうえで普天間飛行場の移設は辺野古しかないことを明言している。辺野古移設が国の民意であるのだ。松本さんは国の民意を聞き入れないで一方的に県の民意を国に押し付けているのである。

こんなやり方は県の選挙で勝つことはできても国全体の選挙では負けて、行政の安倍政権の政策に勝つことはできない。つまり辺野古移設を阻止することはできない。日本は議会制民主主義国家だからだ。

議会制民主主義の政治を否定している辺野古移設反対運動と香港の市民が普通選挙を求めて闘っている民主主義運動を重ねてあたかも辺野古移設反対運動が香港の民主主義運動のように話す松本さんは日

本の議会制民主主義を理解していないし香港の民主主義運動を真剣に考えていない。せいぜい辺野古移設反対運動程度にしか考えていないだろう。香港の民主主義運動を軽視している松本さんである。

松本さんは香港の民主主義運動を辺野古移設反対運動の宣伝に利用しているだけだ。香港のように辺野古移設反対運動も大きい運動に拡大したいのだ。松本さんは、普天間飛行場の移設のための辺野古飛行場建設を新基地建設と嘘をつき、反民主主義を民主主義に偽装している左翼の代弁者でしかない。

香港のデモはアジアの歴史で初めて起こった市民の市民による市民のための民主主義運動である。財力も権力も指導者もいない弱者の市民が立ち上がった運動である。このような市民による民主主義運動は過去のアジアにはなかった。歴史的な香港デモを辺野古に重ねるのは絶対に許されることではない。しぼんでいくだけの辺野古移設反対運動と中国に民主主義の風穴を開けるかもしれない香港デモは比べものにならない。

香港のデモは民主主義運動であるが、辺野古移設反対運動は左翼運動である。二つは根本的に違う。

松本さんのような記事を沖縄二紙は二度と掲載してほしくない。

香港、覆面禁止法で初訴追　過激デモに政府強硬姿勢

香港当局は7日までに、九竜半島で行われた無許可の抗議活動に絡み、デモ参加者のマスク着用を禁じる「覆面禁止法」違反容疑で男女計2人を訴追した。5日の法施行後、訴追は初めて。2人は違法集会の容疑も持たれており、裁判所で7日、審理が開かれる。香港各紙が伝えた。

一部メディアは、6日のデモを巡り警察が同法違反容疑で5人を逮捕したと伝えた。5日には少なくとも13人を逮捕したとされ、5日の逮捕者は20人超に上るとの報道もある。市民の強い反発にもかかわらず、香港政府は過激なデモを力で抑え込む姿勢を改めて鮮明にした。

香港政府の弾圧が激しくなってきた。しかし、香港市民がくじけることはない。自由、民主主義を勝ち取る闘いに命を懸けているからだ。

香港を第二のハンガリーにしてはならない

　見たい番組がなかったので、チャンネルを変えていたがＮＨＫの画面になった時止めた。番組はすでに始まっていた。教室の高校生が映り、ナレーターか「ハンガリーの犠牲者のために２分間の黙とうを捧げた・・・・」と話していた。私は「ハンガリーの犠牲者」と聞いた瞬間にそれがなんのことか分かったし、番組に興味を持った。

　時代は１９５６年、場所は東ドイツの高校だった。高校生が教師に許可なく理由も説明しないで授業中に２分間の黙とうをしたことが問題になり、黙とうの目的、主導者は誰かを厳しく問い詰められていった。番組は冷戦下の東ドイツで起きた高校生１９人の２分間の黙とうとその後を追ったものだった。

　ネットで調べると、そのことが映画化されていた。ＮＨＫは映画化を知って番組を作ったのだろう。

　映画は『僕たちは希望という名の列車に乗った』である。この映画はまだ東ベルリンと西ベルリンを分ける壁ができる前のことである。ベルリンの壁ができたのは１９６１年であったらしい。それまでは東西ベルリンは自由に行き来できた。１９５６年には壁はなかったのだ。私は初めて知った。

　ベルリンの壁がなかった１９５６年に東ドイツのスターリンシュタット（現在のアイゼンヒュッテンシュタット）の高校に通うテオとクルトが、西ベルリンに行って映画を見た。映画の合間のニュースで二人はハンガリーの民衆蜂起を伝えるニュース映像を目の当たりにした。

クラスの中心的な存在であるふたりは、級友たちに呼びかけて授業中に2分間の黙祷を実行した。それは自由を求めるハンガリー市民に共感した彼らの純粋な哀悼だったが、ソ連の影響下に置かれた東ドイツでは社会主義国家への反逆と見なされる行為だった。

やがて当局が調査に乗り出し、人民教育相から直々に一週間以内に首謀者を告げるよう宣告された。もし、首謀者を告げなければ彼らは高校を退学させられ大学進学の道が断たれる。生徒たちは人生そのものに関わる重大な選択を迫られたのである。大切な仲間を密告してエリートへの階段を上がるのか、それとも信念を貫いて大学進学を諦め、労働者として生きる道を選ぶのか・・・・。彼らは過酷な選択を迫られた。

人生のすべてを懸けて下した彼らの決断は黙秘することだった、脅しにも負けず大人たちに抗う彼らであったが、クラスのみんなを犠牲にすることに耐えきれず、リーダーの一人は自分がリーダーであると白状する。白状した彼は東ドイツでは一生虐げられた生活をしなければならない。彼は両親と別れて一人で西ドイツに亡命する。ＮＨＫではその後の彼らが大学に進学し、エリートの道を歩んだことも描いていた。

ハンガリー動乱は60年以上も前のことであり、しかもハンガリーだから知っている人はほとんどいないのではないだろうか。私は学生運動に参加し、しかも革マルだったからハンガリー動乱のことを知っている。ハンガリー動乱は共産党から中核と革マルを誕生させたという歴史がある。

ハンガリー動乱

ハンガリー動乱は、1956年にハンガリーで起きたソビエト連邦の権威と支配に対する民衆による全国規模の蜂起のことである。ハンガリー事件、ハンガリー暴動、ハンガリー革命ともいう。

第二次大戦直後にハンガリーでは国民選挙が行われた。独立小農業者党が大勝しハンガリー第二共和国が成立した。ティルディ・ゾルターンが大統領となった。しかし1947年にソ連軍を後盾とする共産党がクーデターをおこし、ヨシフ・スターリンに忠実だったラーコシ・マーチャーシュが全権を握った。それは共産党による代議制民主主義の破壊である。

共産党独裁のハンガリーの経済は悪化し、１９５２年には７割まで労働者の給料が急速に落ち込んだ。労働者の不満は工場の自主管理と労働組合の結成の自由の要求という形となり、それはサッカー場での暴動という形で現れた。また、農民たちも政府の強制的な集団化によって悲惨な状況にあり、農地の私有と耕作の自由を要求していた。共産党独裁国家では農地も工場もすべて国の所有である。

ハンガリーの国内問題を見直そうとする動きが学生やジャーナリストの間に広がった。スターリン主義者のゲレー・エルネーが選出されたが、これに反発した市民は集会禁止令にも関わらず、ブダペストで大規模なデモを行なった。そして、民主主義を求める労働者、市民とソ連軍の戦いになった。

武力に勝るソ連軍によって労働者、市民の蜂起は鎮圧され、およそ１２００人が処刑され、２０万人が難民となって亡命した。

テレビで「ハンガリーの犠牲者」と言った瞬間に犠牲者とはハンガリー動乱の時に犠牲になった人々のことであることを知っていた。ハンガリー動乱とは社会主義の独裁政治に反対した労働者が蜂起したことである。ハンガリー革命ともいう。蜂起はハンガリー軍ではなくソ連軍により鎮圧された。その時に数千人の市民が殺害され、２０万人近くの人々が難民となり国外へ逃亡した・・・と学生の時に革マルから聞いていた。ハンガリーの市民、労働者の蜂起こそが本当の革命であると思った私は、労働者の蜂起を否定した共産党や社会党に反発した。

ハンガリー動乱は日本の共産主義者に大きな影響を与えた。ハンガリー動乱で労働者の蜂起を弾圧したソ連を批判したのが革マルの指導者になった黒田寛一たちであった。彼らはソ連を批判し、日本共産党もソ連を批判するべきであると幹部に要求したが幹部はソ連軍の弾圧を容認した。

宮本顕治が党中央委員会の多数派を占める日本共産党は、ソ連の武力介入を機にハンガリー事件について、蜂起した市民、労働者を反革命家とした。

黒田寛一はハンガリー事件に対しソ連を擁護した日本共産党や社会党と絶縁した。黒田はこの後「革命的マルクス主義」という独自の思想を展開し、その実践として「日本革命的共産主義同盟」を創設し、新左翼の先駆けとなった。革共同は「反帝国主義・反スターリン主義」を掲げていた。米国は帝国主義、ソ連はスターリン主義であるとして米国、ソ連を打倒するのを目指していた。革共同は革マル派と中核派に分裂する。黒田寛一は盲目であり革マルの理論的支柱の人間であった。

１９９１年にソ連が崩壊すると、ハンガリーは多党制に基づくハンガリー第三共和国を設立した。１９９０年代にはヨーロッパ社会への復帰を目指して改革開放を進め、１９９９年に北大西洋条約機構（ＮＡＴＯ）に、２００４年に欧州連合（ＥＵ）に加盟した。

ハンガリー動乱は６０年以上も前のことであり社会情勢は現在の香港と違うが香港の運動はハンガリー動乱と同じように社会主義を否定して民主主義社会を目指した闘いだ。

ハンガリーの民主主義運動はソ連の軍隊に潰されたが、香港の民主主義運動はハンガリーの二の舞になってはならない。香港の市民運動の敗北は民主主義の敗北である。困難であるが勝利して民主主義を達成しなければならない。

習近平国家主席は、「中国のいかなる地域で分裂を図るいかなる者も打ち砕かれるだけだ」といった。反政府抗議活動が続く香港などの問題で習氏は強硬姿勢を改めて鮮明にしたとマスメディフは報道した。しかし、ハンガリー動乱のように中国軍が弾圧すれば世界から非難されるだろう。中国は経済を発展させ、一帯一路を展開しなければならない。だから他国とは仲良くしなければならない。世界二位の経済大国になった中国は軍事力を簡単に使えなくなった。天安門事件のように軍事力を使えないのが習政権の弱点である。軍事力以外のあらゆる手を使って香港の民主主義運動潰しをしてくるだろうが香港のデモは香港中を這いずり回り、潰されても潰されてもアメーバーのように蘇生し続ける。香港の民主主義アメーバーは中国本土にも侵入し這いずり回るようになるだろう。

香港区議選、民主派が3分の2以上の圧勝　民主主義の勝利だあ

民主派が7割以上の議席を獲得するという。民主派圧勝だ。選挙直前まで学生たちが大学を占拠し警察隊に火炎ビンを投げて過激な運動したからもしかすると選挙では負けるかも・・・・と心配していた。しかし、民主派の圧勝である。

若者たちがスマホに遺書をしたためて命を懸けて警官隊と闘う姿を見て、中学生まで闘いに参加している写真を見て感動し涙が出た。

若者たちの過激な闘いが香港の民主主義のための闘いであることを香港市民は理解していた。だから、選挙で圧勝したのだ。

中国独裁国家の弾圧はもっと厳しくなるかもしれないが、選挙で大勝利したことで米国、台湾、日本をはじめ多くの民主主義国家が香港を応援するようになる。

香港民主主義運動は根が強いのだ。

ガンバレ香港　民主主義を勝ち取るために　区議選圧勝は普通選挙を勝ち取る第一歩だ

香港のデモが激しかった。商店を破壊し、レンガや火炎瓶を警官隊に投げ、学生たちは香港理工大学を占拠して立て籠った。学生たちの過激な行動は昔の日本の学生運動のようである。学生たちの破壊行動を見て日本の学生運動のようだと思っている人は多かっただろう。しかし、日本の学生運動と香港の学生たちの運動は根本的に違う。日本の学生運動は革命を目指した社会主義運動であったが香港の学生運動は「普通選挙」を求めた民主主義の運動だ。

香港の学生運動の報道を見ていると短編小説「一九七一Ｍの死」のＭのことを思い出した。Ｍとは町田宗秀である。町田は内ゲバで琉大男子寮で民青に殺害された学生である。彼が殺害される数時間前に彼と話した。プロレタリア革命と民主主義のはざまで悩んでいたのが町田であり私であった。彼は上から指導された「家族闘争」をすることができなくて私に相談した。町田が殺された数時間前である。。

「家族闘争」というのは、家族に学生運動をやっていることを打ち明け、家族と話し合い、自分たちがやっている学生運動を家族に理解させ、家族に学生運動を応援させる運動のことであった。

一九六六年にフランスのストラスブール大学で民主化要求の学生運動が始まり、それが一九六八年にはソルボンヌ大学の学生の民主化運動へと発展し、その年の五月二十一日にはパリで学生と労働者がゼネストを行った。そして、労働者の団結権や学生による自治権、教育制度の民主化を大幅に拡大することに成功した。それをフランスの五月革命と呼んだ。フランスの五月革命は学生が原動力となった革命として世界中に有名になった。

大学の民主化を目指して闘ったフランスの学生たちは、自分たちの運動の意義を理解させるために家族と話し合った。学生の民主化運動を理解した家族は学生を応援し、家族を巻き込んだ民主化運動は次第に学生運動から大衆運動へと発展していった。

五月革命が成功した原因のひとつに学生たちが家族の説得に成功したことをあげ、それを家族闘争と呼び、学生運動のリーダーたちは私たちに家族闘争をやるように指示したのだった。

　フランスの五月革命のように大学の自治や民主化を目指した運動であったなら、私は家族の理解を得るために喜んで話していただろう。しかし、琉球大学の学生運動は五月革命のような民主化運動とは性格が異なっていた。

　琉球大学の学生運動はアメリカ軍事基地撤去、ベトナム戦争反対などを掲げていたが、反戦平和運動の域に止まるものではなかった。沖縄最大の大衆運動である祖国復帰運動を批判し、民主主義国家であるアメリカを帝国主義呼ばわりし、ソ連をスターリン官僚主義と批判して反帝国主義反スターリン主義を掲げた学生運動であった。本土の学生運動と系列化していった琉球大学の学生運動は急速に過激になっていった。ヘルメットを被ってジクザグデモをやり、ゲバ棒で機動隊と衝突したり、火炎瓶を投げたりした。

　琉球大学の学生運動を、古い沖縄の因習を信じている私の親が理解し、納得し、応援するのは不可能であった。民主主義社会を目指した運動であったなら私は熱心に両親を説得していたはずである。しかし、民主主義国家アメリカを帝国主義呼ばわりし、将来のプロレタリア革命を目指している琉球大学の学生運動を家族に理解させるのは不可能であった。上からの指示であったが、私は「家族闘争」はやらないことに決めた。


「一九七一Mの死」


　共産主義は民主主義を超えているのか・・・。共産主義と民主主義の違いは・・・。社会主義と共産主義の違いは・・・・。社会主義国家はどんな国家なのか・・・。プロレタリア独裁国家は議会制民主主義国家を超えた国家なのか・・・。議会制民主主義国家でプロレタリア革命はやっていいのか。プロレタリア独裁国家は議会制民主主義国家より自由で平等なのか・・・。そのような疑問が次々と生まれた学生時代だった。難しい問題であったが民主主義国家と社会主義国家の違いは認識できるようになった。

　学生運動が民主主義運動であったら家族も理解できるが社会主義革命につながる左翼運動を家族に理解せるのは難しいし、私自身も社会主義革命に疑問を持っていた。私なりに左翼運動と民主主義の違いを認識していた。しかし、町田は違いを認識していなかった。だから、家族闘争をしなければならないと思いながら躊躇しできなかったのである。

１９９１年にソ連が崩壊し多くの国が議会制民主主義国家になった。巨大なソ連の崩壊にはびっくりしたが、歴史も社会主義よりも民主主義が正しいことを実証したことを実感した。

私は民主主義と左翼をはっきりと区別している。そして、民主主義を支持し左翼は支持しない。左翼の根っこには社会主義を求め議会制民主主義を破壊するイデオロギーがあるからだ。韓国の不買運動は左翼が仕掛けたものであり支持しない。それに対して香港のデモは民主主義運動であり支持する。

普通選挙を求める運動は２０１４年雨笠運動に続き二度目である。

香港デモの五大要求

（１）条例改正案の撤回
（２）デモの「暴動」認定の取り消し
（３）警察の暴力に関する独立調査委員会の設置
（４）拘束したデモ参加者の釈放ー
（５）普通選挙の要求

この５大要求を香港市民は要求しているし。学生も要求している。普通選挙を五大要求に入れたのは意義がある。香港デモは紛れもなく民主主義運動である。日本の全共闘運動とは違う。

香港デモは次第に激しくなっていった。地下鉄の駅や銀行のＡＴＭを破壊した。中国系銀行の店舗も「大陸からの資金流入を防ぐため」という理由で破壊した。デモ隊には信号機を壊すのも居た。デモは警官隊にレンガを投げ、火炎瓶も投げるようになった。そして、大学に籠城した。

中高生を含む学生たちが占拠した香港理工大には警官隊が突入し、周辺では断続的に衝突が続いた。

「自由がなくなるなら死んだ方がましだ」

会員制交流サイト（ＳＮＳ）上には、学内にとどまる学生の悲痛な書き込みもあった。命を懸けた学生たちの闘いであった。

１０００人以上の学生が逮捕された。

ＳＮＳ上には「私たちは最後まで構内にとどまる」とする学生の決意表明が投稿された。「学生は逮捕と死を恐れない。歴史が私たちの無罪を言い渡すだろうから」。文面には悲壮な決意がにじむ。区議会選挙の時も大学に留まる学生が居て警察は大学を包囲した。

雨傘運動は一部の若者らの過激な行動が市民の批判を招き、運動が終息する一因となった。雨傘運動のように学生たちの激しい運動が市民の反発を招き区議選では民主派が敗北するかもしれないという危惧が私はあった。

嘉手納飛行場でＢ５２が墜落炎上した時に学生がＢ５２撤去運動に立ち上がった。私が学生運動に参加したきっかけがＢ５２墜落炎上であった。

運動資金を集めるために那覇市で募金運動をした。すると市民の応援は多く、募金は驚くほどたくさん集まった。市民に支持されているという実感を募金運動で感じた。しかし、学生運動が次第に激しくなり、火炎ビンを使うようになると募金は減っていった。過激な学生運動は市民の支持を失っていったのである。

学生の時の体験から、香港の学生運動が激しくなったのが原因で区議選は敗北するだろうし、今後の民主主義運動は苦しい長い闘いになると予想していた。しかし、区議選の速報を見て驚いた。なんと民主派が圧勝したのだ。

香港政府が発表した速報によると、民主派が３８５議席と定数４５２議席のうち８５％を獲得して圧勝した。投票率は７１、２％であった。

香港市民は学生たちの過激な運動も民主主義運動と理解していた。そして、香港市民は老いも若きも真剣に香港の自由な民主社会を望んでいることがはっきりした。香港の民主主義運動は本物だ。

軍隊で香港を制圧するのは簡単にできるが中国政府が軍隊を投入することはできない。区議選で圧勝したことは香港デモをテロと呼ぶことはできなくなった。軍隊を投入すれば世界から非難される。そうなると一帯一路の経済戦略がつまずくだろうし、中国経済が落ち込むだろう。軍隊投入は絶対にできない。軍隊投入がなければ香港市民は中国政府と五分五分に戦える。

普通選挙を勝ち取るのは困難であるかもしれないが、実現するまで香港市民は戦い続ける。そして、勝利する。区議会選挙の圧勝がその一歩だ。

韓国は左翼運動

徴用工問題で国家論が疎かにされている

日本も韓国も独立国家である。日本の法律は日本の国会で制定するし、韓国の法律は韓国の国会で制定する。法律は神が制定したものではない。日本は日本人が、韓国は韓国人が制定している。日本の法律は日本独自の法律あるから外国である韓国に適用されることはないし、韓国の法律が日本に適用されることもない。法律はそれぞれの国内に有効であって外国には有効ではない。

法律は万国共通ではないし普遍性が高いわけでもない。日本の法律には日本のエゴがあるし韓国には韓国のエゴがある。法律は国家のエゴであるといっても過言ではない。

徴用工問題は日本で起こった問題である。

日本で起こったのだから日本の法律で裁かなければならない。ところが徴用工問題で日本の企業に賠償を求める裁判を韓国でやった。つまり韓国の法律で日本国内の問題を裁くことになったのだ。

日本で起こったことを日本ではない韓国の法律で裁いていいかどうかを最初に問題にするべきであるが、そのことを問題にした識者を見たことがない。韓国の法律で日本で起こった問題を裁くということは韓国が日本を裁くということになる。それは日本が独立国家であることを韓国が認めないということである。

戦時中に韓国から動員されて名古屋市の軍需工場で働かされた元女子勤労挺身（ていしん）隊の韓国人女性や遺族計５人が損害賠償を求めて日本と韓国で提訴をした。

日本の裁判は日本政府の動員を強制連行と認定したものの、６５年の日韓請求権協定で賠償請求権は主張できないとして請求を棄却した。２００８年に最高裁で敗訴が確定した。

韓国最高裁は三菱重工の上告を棄却し、２０１８年に同社に計約５億６０００万ウォン（約５６００万円）の支払いを命じた。

このように日本と韓国の判決は違ったのである。それはなぜか。理由ははっきりしている。法律を決める国会議員が日本と韓国の別々の議員だったことであり、裁判官も国が違ったからである。だから判決は違ったのである。日本と韓国は歴史、社会が違うのだから判決が違うのは当然である。

日本国家と韓国国家は別々の存在であり、法律も違う。日本の法律は日本国内のための法律であり、韓国の法律は韓国内のための法律である。日本の法律で韓国内で起こったことを裁くことはできないし韓国の法律で日本国内で起こったことを裁くこともできない。

徴用工問題と挺身隊問題は韓国ではなく日本で起こった問題である。たとえ提訴をした人が韓国人であっても日本の法律で裁かなければならない。だから元徴用工の韓国人や遺族は最初に日本で提訴したのである。ところが日本の裁判では敗訴し、賠償金がもらえないことになった。日本の判決に不満だったから韓国で提訴をしたのである。日本国内で起こった問題を韓国内にしか通用しない韓国の法率で裁くことはできるはずがない。日本が独立国家であり韓国とは政治も法律も独立しているからだ。韓国の法率で日本国を裁くことはできない。

韓国は日本帝国が韓国を植民地にし韓国を搾取したと主張しているが、日本帝国は日本の法律で韓国を裁くことはしなかった。確かに四民平等、法治主義を韓国に押し付けたが、韓国には韓国の法律をつくり韓国で起こった問題は韓国の裁判で裁いていくようにした。日本国の法律で裁くことはなかった。ところが韓国は韓国の法律で日本国内で起こった挺徴用工問題を韓国の国内にしか通用しない法律で裁いたのだ。それは独立国家である日本への侮辱である。

徴用工問題も最初は日本で提訴した。しかし、日本で敗訴した。日本で敗訴したから韓国で提訴したのである。

徴用工の賠償訴訟は韓国大法院が２０１８年１０月３０日に新日本製鉄（現日本製鉄）に対し韓国人４人へ一人当たり1億ウォン（約１０００万円）の損害賠償を命じた。

大法院判決の理由は、

「原告の損害賠償請求権は、日本政府の朝鮮半島に対する不法な植民地支配及び侵略戦争の遂行と直結した日本企業の反人道的な不法行為を前提とする強制動員被害者の日本企業に対する慰謝料請求権である」とし、従って「原告が被告に対して主張する損害賠償請求権は、請求権協定の適用対象に含まれると見ることはできない」としている。

明らかに韓国国家の主観による判決である。日本帝国は清と戦争をやり、勝って台湾を植民地にした。ロシアとも戦争をやり、勝って樺太などを領土にした。しかし。韓国とは戦争をしていない。政治交渉をして併合をした。併合したことを植民地にしたという見方もできるが、それは解釈の違いであり、主観の違いである。

そもそも、併合する前の韓国は大韓帝国であり帝国主義国家だった。民主主義国家ではなかった。身分差別はあり奴隷制度もあった古い封建主義国家だった。妓生は奴隷だった。もし併合しなかったら韓国は大韓国帝国という奴隷制度のある封建国家のままだった。

併合した後の韓国では日本政府の統治により身分制度はなくなり奴隷は解放される方向に向かった。奴隷は売買から解放され移住の自由を得た。韓国の多くの貧しい人たちは職を求めて日本に移住した。徴用工になった韓国人の多くは貧しく韓国では生きていくのが困難であった。だから、日本で働いたのである。もし、徴用工にならなかったら韓国で貧しく奴隷のような生活をしていただろう。

大韓国帝国時代には農民など平民には人権はなかった。財産もないし名前の姓もなかった。

韓国の裁判官は日本企業の反人道的な不法行為を前提とする強制動員被害者というが大韓帝国も反人道的であった。現在から見れば大韓帝国は不法行為だらけの社会であった。

大法院判決は韓国の主観である。韓国の主観で日本における徴用工問題を裁いたのである。韓国は裁くことはできない徴用工問題を裁いたのである。独立国家日本にとって許してはならない韓国の司法行為である。

日本と韓国は独立した法治国家である。法律は国内に適用できるものであり、外国には適用できない。日本の法律は韓国に適用できないし、韓国の法律は日本に適用できない。それが国家の基本である。

韓国が日本の徴用工問題を韓国の法律で裁くことはできないのに裁いたのは日本国家侮辱以外のなにものでもない。

韓国は政府と左翼の対立が始まった

中国の通信機器大手ファーウェイは、アメリカ政府が先月導入した、米国の通信会社がファーウェイの製品を使えないようにする措置は違法だとして提訴した。５日に中国広東省深センの本社で記者会見して明らかにした。発表したのは中国であるが提訴したのは米国の裁判所である。ファーウェイは３月にも米政府機関が自社製品の使用を禁止しているのは不当だとして、米政府を米国で提訴した。

なぜファーウェイは中国ではなく米国で提訴したのか。理由は米国で起こった問題だからである。もし中国の裁判所に提訴して中国で裁判をしたら中国の法律を米国に適用することになる。そうなると米国は中国の属国であるということになり、米国が独立国であることを否定することになる。中国で提訴してファーウェイが勝訴すれば米国は怒り国交断絶を宣言するかもしれない。

ファーウェイは中国の裁判所に提訴することはできない。だから米国の裁判所に提訴したのである。A独立国の法律をB独立国に適用することはできない。それが独立国家間の不文律である。この不文律を破ったのが韓国の徴用工裁判である。日本で起こったことを韓国の裁判所が裁いたのである。

韓国は「帝国の慰安婦」の著者朴裕河（パク・ユハ）世宗大学教授に対する控訴審で有罪判決を下した国である。表現の自由が保障されている日本ではあり得ない判決である。韓国と日本は法律が違う。それは韓国国家の主観と日本国家の主観が違うということだ。「帝国の慰安婦」の著者に有罪判決を下す韓国だから徴用工裁判でも有罪判決を下すのは明々白々であった。残念ながらこの根本的な法の問題を指摘する識者が日本にはいない。

弁護士・法学者などの法律家が日韓関係の改善・修復を求める声明を発表した。

２０１８年１０月３０日、韓国大法院は新日鐵住金（日本製鉄）株式会社で働いていた韓国人の徴用工4人に対し、それぞれ1億ウォン（約1000万円）の支払を命じる判決を出したことに対して、「この判決をめぐり日韓関係は悪化の一途をたどっている。隣国同士である日韓の関係が著しく悪化していること、日本の戦後補償をめぐるこの判決がその契機となっていることについて、私たち日本の法律家は深く憂慮している」と述べている。これは日本の法律家としての意見ではない。彼らの政治思想である。日韓関係が悪化の一途をたどっているというが、むしろ韓国のわがままを許さない正常な関係を築きつつあるという解釈もできる。

日本の法律家であるなら韓国の法律で裁いて新日本製鉄に弁償金支払いを命じたことに疑問を持つべきである。そして日本の法律と韓国の法率、裁判に違いがあることを指摘するべきである。ところが院内集会では、元徴用工がまだ請求権を失っていない点については同判決と日本政府の間に認識が共通する部分があることを指摘し、「日本のマスコミは政府のキャンペーンに上乗りをしているだけ。両国の信頼関係を築く論点での記事や社説などがしっかり書かれていれば、国民の認識も違う」

とマスコミ報道を批判している。

「元徴用工がまだ請求権を失っていない」点は日本政府も認めているが、日本の裁判では1965年の韓国への五億ドルの賠償の中に徴用工への賠償も含まれていると判断し、日本の最高裁は徴用工裁判では政府は賠償金を払う必要はないと判決を下した。2007年のことである。日本の裁判では賠償金を勝ち取ることができなくなったのだ。

元徴用工原告団は「日本が駄目なら韓国があるさ」と韓国で賠償請求の訴訟を起こしたのである。そして、勝訴した。韓国で裁判をすれば徴用工側が勝つのは当然である。

しかし、もし2010年以前に提訴したら韓国でも敗訴していた。植草一秀氏のブログ『知られざる真実』にそのことが書かれている。植草氏は言わずと知れた共産党びいきの学者であり、慰安婦、徴用工では韓国左翼の味方である。その植草氏がブログで、

韓国でも、かつては裁判所が消滅時効や日本政府の既判力等を理由に被害者の訴えを認めない判断を示していた。しかしながら、こうした状況下で20

１０年、韓国併合１００年を期して日本弁護士連合会と大韓弁護士協会が共同宣言を発表した。

共同宣言は、日本政府に対して強制動員被害の真相究明と謝罪と賠償を目的とした措置をとることを求め、強制動員にかかわった企業に自発的な補償のための努力を訴えた。

こうした状況変化等を背景に、韓国の司法判断も変化した。

植草一秀の『知られざる真実』

韓国の裁判は２０１０年までは元徴用工の訴えを認めない判断をしていた。ところが日本弁護士連合会と大韓弁護士協会などの圧力によって司法判断は変化したのである。裁判の判断は外部圧力で変化し、時代によって司法判断は変わるのである。

日本弁護士連合会は国旗国歌法を根拠として行なわれる、君が代斉唱時の不起立に関する処分・起立を義務付ける条例に反対している。韓国の市民団体と連携して国連へ朝鮮人「強制連行」問題と「従軍慰安婦」問題を国連人権委員会に提起し、「日本軍従軍慰安婦」を「性奴隷」として国際社会が認識するようロビー活動を展開している。２０１５年には民主党（当時）の辻元清美議員や社民党の福島瑞穂議員、日本共産党議員約１０人が駆けつけた安保関連法案反対の国会前デモに、日弁連としても会長を含め参加している。

日本弁護士連合会が左系イデオロギーであるのは明らかである。左系のしかも日本という他国の弁護士団体の政治的な圧力によって韓国の司法判断が左傾化したのは明らかである。弁護士には立法権はない。弁護士は国会で制定した法律をどのように解釈するかの専門であって法律を変える立場にはない。司法判断を変えるように政府に圧力をかける時は弁護士ではなく政治活動家になっている。個人的な政治イデオロギー実現の活動をしているであって弁護士として活動をしているのではない。日本弁護士連合会は国内だけでなく他国である韓国にも日本弁護士団体としての権威を傘にして司法判断を変えるように圧力をかけたのである。日本国の弁護団が他国の韓国の司法判断に介入していいのだろうか。これは徴用工問題より深刻な問題である。

①　日本と韓国はそれぞれが独立国家である。

日本で起こったことだから韓国の司法で裁く

ことはできない。

②日本の司法と韓国の司法は違う。だから、違う判決が下るのは当然である。
③司法判断は国内でも時代によって変わる。
④日本政府は日本の司法判断に従うのであり韓国の司法判断に従うことはない。

日本も韓国も三権分立の国家である。行政と司法は自立した関係にある。今回問題になっているのは韓国の司法が日本で起こった徴用工問題に関わり、元徴用工の主張を認め日本企業に損害賠償を支払う判定を下したことである。

日本と韓国の判決が違うことを指摘しどちらが正しいかを問題にし、国家間の約束を守ってもらわない韓国に非があるとする主張がある。日本の方が正しいということである。しかし、司法の問題はどちらが正しいとは言えない。日本にとっては日本の判決が正しいし韓国にとっては韓国の判決が正しい。司法の世界ではそういうことになる。どちらの国が正しいかを司法の場に求めるのは間違っている。

徴用工問題は日本で起こったのだから日本で裁判をしなければならない。韓国ではできない。ところが韓国で裁判が行われた。そして、日本企業に賠償金を払うように判決を下した。しかし、韓国の司法は韓国内に適用できるのであり日本国内には適用できない。だから日本企業に弁償金を払わせることはできない。ところが大法院は韓国の日本企業である新日鉄に請求全額の計4億ウォン（約4千万円）の支払いを命じた。新日鉄は払わないことを決めた。すると、原告弁護団は新日鉄の韓国内の資産を差し押さえて、資産売却を宣言した。資産を売却すれば司法から政治問題に変わる。

日本の最高裁は元徴用工に賠償しなくていいと判決を下した。日本政府は最高裁の判決に従う義務がある。韓国の日本企業であっても日本政府は賠償金支払いを阻止し日本企業の資産を守る義務がある。日本政府から見れば韓国の判決が違法なのだ。違法行為を許すわけにはいかない。もし、新日鉄の資産を売却すればそれ相応の経済制裁をすることになる。

麻生太郎副総理は韓国側が徴用工判決で差押えしている民間企業の資産の現金化などを実行したら、韓国との貿易を見直したり、金融制裁に踏み切ったりすることを宣言している。当然のことである。日本は法治国家である。法の元に国民の生命・財産はもちろん企業の資産も守る義務がある。たとえ外国であっても同じである。外国には日本の法律は適用できないから日本政府は政治制裁で応じることになる。日本政府の制裁を恐れた韓国政府は新日鉄の資産売却をやらないですむ解決法を考えた。それが文喜相（ムン・ヒサン）議長が提唱する案である。

韓国の文喜相国会議長が強制徴用問題の解決策として日本側に提案した法案の内容は韓日両国の企業、政府、国民が参与して「記憶人権財団」を設立し、被害者１５００人に総額３０００億ウォン（約２７７億円）の慰謝料を支払うという骨子である。

日韓の企業と個人から寄付金を募り、設立する基金を通じて訴訟の原告らに現金を支払う。ということは韓国最高裁が日本企業に命じた賠償を基金が肩代わりする「代位弁済」の形になり、日本企業が賠償を支払うということにはならない。この案なら日本企業に直接の法的責任を求めないから日本政府が制裁をする理由がなくなる。文議長は案の立法化を目指している。

ところが文議長の案に反対したのが元徴用工側であった。反対の理由は、

「（日本の）法的責任を前提としていない」
「被害者を清算するための法律だ」
「安倍晋三政権が日本の犯罪を認め謝罪しなければならない」
「加害国に免罪符を与える」
「文在寅（ムン・ジェイン）大統領と政府は被害者中心主義の原則に基づいて問題を解決しなければならない」

等々である。

元徴用工の原告団が反対する理由を見て分かる通り、彼らの目的は日本に法的責任を認めさせ、安倍政権に謝罪させることである。謝罪抜きにした賠償金だけの支払いには大反対である。もし、原告団の主張通りに韓国政府が実行すれば日本政府は韓国への制裁をやるから日本と韓国は断絶関係になるだろう。実は元徴用工原告団の狙いはそこにある。日本と韓国の断絶だ。

慰安婦問題、徴用工問題、日本製品不買運動、日本への旅行中止運動の元はひとつである。韓国左翼が仕掛けたものなのだ。皮肉なことに徴用工問題をお金で解決しようとする韓国政府と日本政府に謝罪

させるのが目的の左翼の対立が始まった。

韓国の文喜相国会議長は与野党議員13人と共同で、徴用工訴訟問題の解決に向けて新たな基金を設置するための法案を提出した。

日韓両国の企業と個人の寄付で「記憶・和解・未来財団」を設立して、日本企業に対する賠償責任請求で勝訴が確定した元徴用工らに「精神的被害に対する慰謝料」を支給するという法案である。受給した原告は強制執行の権利を放棄したとみなす。

法案に反対しているのが原告、市民団体と呼ばれている左翼である。文政権に圧力をかけて日韓合意に基づいて設立した慰安婦問題の解決のための「和解・癒やし財団」を解散させたのが左翼である。文在寅政権は、2018年11月に財団の解散を発表し、2019年7月には正式に解散した。拠出金のうち、半分の5億6000万円が残ったままである。文政権は左翼勢力の支持によって誕生した。だから左翼の要望に応えなければならなかった。国と国の約束を反故にしてでも。

左翼の目的は安倍政権を追い詰めることである。しかし、左翼の要求通りの政治をやると韓国経済が危うくなる。現実に日本旅行中止運動によって韓国の航空会社が経営危機に陥っている。そのままの状態が続けば韓国経済の悪化は免れない。日本政府との交流復活は文政府にとって必要なことである。文議長らの法案は日本政府との断絶を防ぐ目的の法案である。だから左翼は反対しているのだ。韓国政府にとって左翼の支持は大事であるが、大統領も国会議員も国民の選挙で選ばれる。左翼勢力は40%くらいである。左翼だけの支持だけでは政権を維持できない。保守でもない左翼でもない中間層の支持もなければならない。

日韓関係について「対立を続けて放置すると両国にとって得より損が大きいので改善が必要」と考える国民が61．6%である。

徴用工判決に従って日本企業の資産を売却すれば日本政府は確実に政治制裁をする。関係はますます悪化する。韓国の経済危機は避けられない。資産売却を左翼は歓迎するだろうが、多くの国民が望まない経済危機は避けなければならない。そのために文議長は法案を提出したのだ。

日本政府VS韓国政府の構図が韓国政府VS韓国左翼の構図に変わったのである。

唯一慰安婦だけは性奴隷ではなかった

慰安婦問題は日本が完全決着をつけなければならない

慰安婦問題は韓国が日本相手に仕掛けたように見えるが、そうではない。最初に慰安婦問題を仕掛けたのは日本である。

初期ウーマン・リブの運動家田中美津は１９７０年の著作で「貞女と慰安婦は私有財産制下に於ける性否定社会の両極に位置した女であり、対になって侵略を支えてきた」と記述した。

１９７３年に千田夏光の『従軍慰安婦』で日本人の慰安婦は自主的な売春婦であり、韓国人の慰安婦は売春を強制された被害者とした。

元旧日本陸軍軍人を自称する吉田清治は１９８３年戦中済州島で自ら２００人の女性を拉致し慰安婦にしたと証言する『私の戦争犯罪―朝鮮人強制連行』を発表した。

しかし、その時の韓国側の反応は全面否定であった。当時は日本統治時代を生き抜いた人々が中心の時代であり、済州島新報なども含め、吉田証言を全面否定している。

それで終わっていたら今日のような慰安婦問題には発展しなかっただろう。

1983年11月10日に朝日新聞が吉田清治を紹介し、以後吉田を計16回取り上げて報道してから状況が変わってきた。。

『私の戦争犯罪―朝鮮人強制連行』は1989年に韓国でも出版された。

1992年2月、戸塚弁護士はNGO国際教育開発(IED)代表として、「従軍慰安婦」に関する国際法上の検討がされていなかったために、「従軍慰安婦」を大日本帝国の「性奴隷」(sex slave)と規定した。

日本でつくりり上げた慰安婦性奴隷論に合わして韓国では偽の慰安婦を集めて運動を展開していったのである。理論上の敵は韓国ではなく日本に存在するのだ。

理論も真実もない韓国左翼の慰安婦性奴隷活動に単純反発しても仕様がないことである。日本で作り上げた慰安性奴隷論を根本から否定していくことが重要であり、日本、韓国の慰安婦性奴隷運動を崩壊させていくことにつながる。

封建社会における性奴隷

「表現の不自由展・その後」が再開されることになった。少女慰安婦像像が「平和の少女像」として再び展示されることになった。少女慰安婦ではなく平和の少女になったのである。ハンギョレ新聞は「少女像の展示は日本内で代表的なタブーの一つだ」と述べているが、そうではない。少女像がタブーではなく少女慰安婦像がタブーである。

平和の少女像は駐韓日本大使館前の「少女慰安婦像」を制作した彫刻家キム・ウンソン氏とキム・ソギョン氏夫妻が、同じ形で作ったものだ。日本大使館前の少女像は少女慰安婦像である。韓国での少女慰安婦像を愛知県の「表現の不自由展・その後」では平和の少女像と改名するのはおかしい。それは露骨な政治プロパガンダであるといってもおかしくない。愛知県で展示されると、韓国では少女慰安婦像が日本の税金で開催された展示会で展示されたと宣伝し、少女慰安像は日本国民も認めたと主張するようになるだろう。

最近になって痛切に感じるのは日本の政府も学者

も真剣に慰安婦問題に取り組んでこなかったことである。

慰安婦について一番正しいことを書いているのは私の「彼女は慰安婦ではない　違法少女売春婦だ　少女慰安婦像は韓国の恥である」であることを改めて確信した。しかし、「少女慰安婦像は韓国の恥である」に書き足りない所がある。それは封建時代の「性奴隷」についての説明が足りない。慰安婦問題の「性奴隷」については江戸時代の士農工商の身分制度の社会と明治時代の四民平等の近代社会との歴史的比較が必要である。そうしないと韓国の少女慰安婦が慰安婦ではなく少女性奴隷であったことをはっきりと説明することができない。

江戸時代の遊郭や吉原の女性は「性奴隷」であった。大韓帝国時代の妓生は性奴隷である。性奴隷だったのに明治政府の「娼妓取締規則」によって性奴隷から解放された。彼女たちは性奴隷から身分が保証された職業婦人になったのである。明治政府「娼妓取締規則」で法的に彼女たちに人権を与えたのである。ところが日本の政府も学者もこの歴史的意義を認識していない。だから、左翼の慰安婦=性奴隷の主張を打破できないのだ。

琉球王国時代に吉屋チルーという琉歌の天才少女がいた。彼女は読谷の貧しい農家に生まれ、八歳の時に那覇の遊郭に売られた。琉歌の天才少女は一八歳の時に食事することを拒否して自殺する。私は読谷村の生まれであり、チルーの有名な琉歌に出てくる比謝橋の近くで育った。チルーの琉歌は私に強く影響した。私の長編小説「マリーの館」に吉屋チルーのことを書いてある。

吉屋チルー

吉屋チルーの琉歌が浮かんできた。読谷の貧しい農村に生まれた吉屋チルーはたった八歳で女の性を売る那覇仲島の遊郭に売られた。

恨む比謝橋や
　情ねん人ぬ
　我ん渡さ思てぃ
掛きてぃうちゃら

(比謝橋よ。私はお前を恨む。非情な人間が、那覇仲

島の遊郭に売られていく私を渡そうと企んで、お前を掛けたのね)
　搾取され、貧しい生活を強いられたチルーの親は、少女チルーを遊郭に売らなければならない状況に追いやられた。チルーは那覇仲島の遊郭に売られることになった。生まれ育った読谷から出ていく境界には比謝川が流れていた。比謝川には比謝橋が掛かっていた。比謝橋がなければチルーは那覇仲島の遊郭に売られなくてすんだ。チルーが那覇仲島の遊郭に売られなければならない貧困に追いやったのは時の権力者であり、チルーを渡すために比謝橋を掛けたのも時の権力者だった。情ねん人=非情者=権力者。チルーは比謝橋を造った非情で冷酷な権力者に琉歌で恨みを投げつけた。

　吉屋チルーは一六五〇年に生まれた。八歳の時に那覇仲島の遊郭に身売りされた吉屋チルーは硫歌の天才少女として有名になりながらも、身受けされるのを拒否し、絶食して息絶えたという。一六六八年、吉屋チルーが一八歳の時である。

　平敷屋朝敏(へしきや・ちょうびん　一七〇〇~一七三四年)が書いた「苔之下」という吉屋チルーの物語は、吉屋チルーは仲里按司に恋していたが、仲里按司の母親が病気になって倒れたために、仲里按司は吉屋チルーの待つ仲島の遊郭に行かなくなった。これをよいことに抱母は吉屋チルーを仲里按司から引き離すために、黒雲殿に見受けさせようとした。吉屋チルーは、そのことに怒り、失望し、食を絶って亡くなったと書いてある。

　しかし、まて。それは平敷屋朝敏の「苔之下」という俗的な悲恋物語に書かれてあることであり、吉屋チルーの実話ではない。平敷屋朝敏は吉屋チルーが死んで三十二年後に生まれた人物だ。吉屋チルーを直接知っていたわけではない。吉屋チルーが琉歌の天才であり、仲島の名花と呼ばれながらも、十八歳の時に絶食して死んだという伝説を知っていただけだ。「苔之下」以外に「若草物語」「万才」「貧家記」「雨夜物語」等を書いたように、平敷屋朝敏はロマン作家であり、「苔之下」は平敷屋朝敏が書いた悲劇ロマンだ。武士階級のロマンチスト平敷屋朝敏が庶民の天才詩人吉屋チルーの魂を理解できるはずがない。

　私には分かる。若い仲里按司と恋をしたというのは吉屋チルーを悲恋物語のヒロインにするための朝敏のでっちあげ話だということを。私には分かる。吉屋チルーの死はそんなロマンチズムな死ではなかったことを。私には分かる。貧しい農家に生まれて教養がないのに歴史に残る琉歌を作った吉屋チルーは天才の中の天才であり、卓越した感受性の持ち主であり、詩人としての気高いプライドを持った少女であったことを。私には分かる。吉屋チルーは女の性を絶対に売らない純粋でプライドの高い詩人であったことを。私には分かる。少女から女の体に成長した吉屋チルーは女の性を売るように強制されたが、拒否したことを。しかし、強固な遊郭の掟は吉屋チルーの拒否を許さなかった。私には分かる。詩人としてのプライドが高い吉屋チルーは、遊郭の掟に抗議して絶食をやり、詩人としての魂を全うするために死を選んだことを。

天才詩人吉屋チルー。生まれながらの詩人吉屋チルー。天才詩人であったがゆえにわずか十八歳で死を選ばなければならなかった吉屋チルー。チルー、チルー。純粋に詩人の魂を一途に生き、そして死を選んだ琉歌の天才少女チルー。かわいそうなチルー。気高いチルー。私は止めどもなく涙が溢れてきた。

琉球王国の王族や士族たちは龍潭池で舟遊びをして優雅な生活を送っていたが、その裏では過酷な搾取によって農民は極貧生活を強いられ、吉屋チルーのように身売りされる少女の悲劇が数多く繰り返されたのだ。吉屋チルーを死に追いやったのは農民を虫けらのように扱う琉球王国支配の社会だった。チルーを死に追いやったのは琉球王国だ。琉球王国のくそったれだ。

「マリーの館」

琉歌の天才でも遊郭の経営者にとっては商品でしかない。高い値段で売れれば売りさばいていく。チルーも商品の一つでしかないのだ。遊郭の女性はつきつめれば性奴隷であった。それは日本中みな同じであった。

京都の芸妓も性奴隷であった。

芸妓の「水揚げ」

江戸時代の芸妓は「旦那」とよばれるスポンサーを持たなければならなかった。

旦那は自分が見初めた芸妓の着物や生活にかかる多額の費用を置屋に支払い、その対価として芸妓と男女の関係を結んだ。芸妓が初めて旦那を持つことを「水揚げ」といった。

芸妓にとっての水揚げは、一人前への大きな一歩であり、髪型もそれまでの割れしのぶからおふくに結い替えた。芸妓になる前を舞子という。

芸妓は水揚げを断ることはできない。命令に従うだけである。従わなければ厳しい罰が下される。

吉屋チルーも芸妓も性奴隷だったのだ。奴隷とは売られた人間であり仕事の選択の自由も報酬もない人間のことである。

芸妓やチルーのように遊郭に買われた女性は性奴隷である。性奴隷になることを拒否したチルーは自殺したのである。死ぬことでしか性奴隷から解放される術は遊郭の女性にはなかった。

なぜ八歳で遊郭に売られたか

遊郭に売られるのは八歳くらいの少女が多い。八歳ではまだ子供であるし客相手の仕事はできないはずである。吉屋チルーの話をした先生は掃除などの仕事をしたと言った。先生の言うことを信じていたが、俳句を作っているうちに八歳で売られた理由がわかってきた。俳句や琉歌などの詩は誰でもつくれるが、優れた詩は才能のある人にしかつくれない。俳句をつくるために色々勉強しているうちに「恨む比謝橋」はとても優れた琉歌でありチルーが天才の中の天才だからこそをつくれたのだと思うようになった。先生はチルーが比謝橋を渡った時の八歳の時につくったといっていたが、八歳の少女がつくれるはずがない。そもそも貧しい農家の少女が琉歌をつくれるはずがない。チルーが琉歌を作れるようになったのは遊郭で琉歌の作り方を教えられたからである。

遊郭が八歳という幼い時に少女たちを買うのは踊り、三味線、琉歌などを英才教育するためであった。質の高い芸を習得させて客に披露すれば莫大な収入になるのだ。琉歌の天才チルーも教養ある武士たちと琉歌を掛け合って客を集めていたのだ。

和歌には連歌といって上の句（五・七・五）と、下の句（七・七）を別の人が交互に作るのがある。琉歌にも上の句(8・8)、下の句(8・6)に分けて連歌を楽しんだ。チルーは遊郭で連歌でもてなしたのである。

遊郭の客は身分の高い武士や金持ちの商人たちであった。教養の高い彼らを満足させるために子供の時から英才教育をしたのである。

それは日本だけでなく世界共通であり、封建社会ではどこでも遊郭のようなものが存在し、遊郭の女性は性奴隷であった。封建社会は身分差別社会であり奴隷は普通に存在していた。

日本が併合する前の大韓国帝国は封建社会であり性奴隷の社会であった。妓生は性奴隷であった。

日本の芸妓、遊女　韓国の妓生、酌婦は性奴隷だった

妓生（きしょう、기생、キーセン）

妓生は諸外国からの使者や高官の歓待や宮中内の宴会などで楽技を披露したり、性的奉仕などをするために準備された奴婢(奴隷)の身分の女性(「婢」)。妓生は芸妓と同じように少女の時に買われ、芸を英才教育させられたのである。妓生は性奴隷であった。

遊女

芸子や妓生に比べ芸の質は低く酌婦とセックスを中心に客の相手をしたのが遊女であった。芸妓が身分の高い武士や大金持ちの商人を客にしていたのに比べ遊女は身分の低い武士や町人を客にした。彼女たちは吉原を中心に働いていた。時代劇によく出てくるのが吉原である。

遊女は色々な事情で売られて吉原に来た女性たちである。

・農村・漁村などの貧しい家庭の親が、生活難のため娘を妓楼に売る。妓楼とは吉原の表通りにあった建物で遊女が客の相手をする建物である。
・貧しい下級武士の家の親が生活難のため娘を妓楼に売る
・不況や事業の失敗などで没落した商家の親が借金のカタに娘を妓楼に売る
・悪い男にダマされて若い娘が妓楼に売られる。

金額に関しては、農村部での場合、３～５両（現在のおよそ３０～５０万円）で幼女を女衒が買ったという記録がある。下級武士の娘の場合だと１８両（およそ１８０万円)で買われたという記録がある。

年季は最長１０年で２７歳（数えで２８歳）で年季明けとなり晴れて自由の身になれるのが原則であった。

遊女は買われたのである。買われたということは

妓楼主の私有物となる。私有物だから給料はなかった。だから売られた時の代金は自分の借金となっていたが遊女の時は収入がなかったから返済することはできなかった。自分の着物や髪飾り、化粧品などは妓楼主が与えた。曲芸をするサルや犬と同じである。生活のための物は与えられたが彼女たちが自由に使える給料は与えられなかった。この吉原のシステムのために借金はまったく減らなかった。働いても働いても楽にならずであった。二十八歳になれば遊女としての価値がなくなる。だから年季明けにして吉原から追い出したのである。吉原から追い出された遊女は一人で生きていかなければならなかった。年季明けになった遊女たちのその後

・そのまま妓楼に残って、「番頭新造」として花魁の雑用をする（原則お客はとらない）。もしくは「遣手（やりて）」として遊女の監視・管理係となる。

・吉原のすぐ外にある「河岸見世（かしみせ）」と呼ばれる安い妓楼へ移籍する。

・岡場所や宿場の女郎屋などで色を売る。

・「夜鷹」と呼ばれる筵（むしろ）１枚を抱え辻に立つ最下級の街娼となる。

吉原を出る方法が年季明け以外に二つあった。一つは吉屋チルーのように死を選ぶことである。

「此の世のなごり。夜もなごり。死に行く身をたとふれば……」のセリフで有名な近松門左衛門による大ヒット人形浄瑠璃『曽根崎心中』は大坂で実際に起きた遊女「はつ」と醤油屋の手代との心中事件を題材にした作品である。

死以外に吉原から出る方法は金持ちのお客さんにお金を払ってもらうことである。これを「身請（みうけ）」といった。

身請代は、その遊女の身代金＋遊女のこれまでの借金＋これから稼ぐ予定だったお金＋妓楼のスタッフや遊女の妹分らへのご祝儀＋盛大な送別会の宴会料＋雑費などであった。

身請金は下級クラスの遊女で４０～５０両（現在の金額でおよそ４００～５００万円）、中流クラスの遊女なら少なくとも１００両（およそ１０００万円）、トップクラスの花魁ともなれば１０００両（およそ１億円）以上もの身請金を払ったという例もあるほどであった。やはり遊女は商品であり売買でしか決着はつかなかったのである。

江戸時代の芸妓、遊女は金で売買された性奴隷であった。日韓併合する前の大韓帝国の妓生や酌婦なども性奴隷であった。韓国の封建社会では身分制度があり貧富の差は大きかった。そして、奴隷も存在していた。王族や武士階級が支配する封建社会までは奴隷が存在し、実技団や売春婦は性奴隷であったのだ。この歴史的事実を正確に認識しなければ慰安婦問題の真実は見えない。

最近、痛切に感じることはほとんどの学者が封建時代の性奴隷の問題を追及しないで歴史的な性奴隷の認識なしに慰安婦問題を論じることである。慰安婦が性奴隷か売春婦かを論じる前に大韓帝国時代の売春婦は妓生を含めてすべて性奴隷であったことを認識しなければならない。

明治政府になって「娼妓取締規則」が施行された。この法律は遊女を性奴隷から解放し、職業婦人として認める法律であった。封建社会から近代社会へ移行する象徴的な法律であった。この法律はイギリス人の弁護士の批判なしには生まれなかった。

遊郭を奴隷制度だと非難し、改革させるきっかけになったのがマリア・ルス号事件であった。マリア・ルス号事件をきっかけに明治政府は遊女を奴隷から解放する。

マリア・ルス号事件

一八七二年(明治五年)七月九日、中国の澳門からペルーに向かっていたペルー船籍のマリア・ルス号が横浜港に修理の為に入港してきた。同船には清国人(中国人)苦力(クーリー)二三一名が乗船していたが、数日後過酷な待遇から逃れる為に一人の清国人が海へ逃亡しイギリス軍艦(アイアンデューク号)が救助した。そのためイギリスはマリア・ルス号を「奴隷運搬船」と判断しイギリス在日公使は日本政府に対し清国人救助を要請した。

知っている通り明治政府は四民平等を宣言した。四民平等は奴隷制度を否定している。そのため当時の副島種臣外務卿(外務大臣)は大江卓神奈川県権令(県副知事)に清国人救助を命じた。しかし、日本とペルーの間では当時二国間条約が締結されていなかった。このため政府内には国際紛争をペルーとの間で引き起こすと国際関係上不利であるとの意見もあったが、副島は「人道主義」と「日本の主権独立」を主張し、マリア・ルス号に乗船している清国人救出のため法手続きを決定した。

マリア・ルス号は横浜港からの出航停止を命じられ、七月十九日（八月二十二日）に清国人全員を下船させた。マリア・ルス号の船長は訴追され、神奈川県庁に設置された大江卓を裁判長とする特設裁判所は七月二十七日（八月三十日）の判決で清国人の解放を条件にマリア・ルス号の出航許可を与えた。

だが船長は判決を不服としたうえ清国人の「移民契約」履行請求の訴えを起こし清国人をマリア・ルス号に戻すように訴えた。

この訴えに対し二度目の裁判では移民契約の内容は奴隷契約であり、人道に反するものであるから無効であるとして却下した。ところが、この裁判の審議で船長側弁護人（イギリス人）が、

「日本が奴隷契約が無効であるというなら、日本においてもっとも酷い奴隷契約が有効に認められて、悲惨な生活をなしつつあるではないか。それは遊女の約定である」

として遊女の年季証文の写しと横浜病院医治報告書を提出した。

その頃の遊女は親の借金のかた＝抵当として遊女にさせられ、利子代わりつまり無報酬で働かされていた。親が借金を返すまでは遊郭から出ることはできなかった。貧しい親に借金を返済することはできるはずもなく、遊女は一生解放されなかった。それは奴隷同然であり、船長側弁護人の政府批判に明治政府は反論できなかった。痛いところを突かれた明治政府は公娼制度を廃止せざるを得なくなり、同年十月に芸娼妓解放令が出され、娼婦は自由であるということになった。この驚くべき事実をほとんどの人が知らないようである。

裁判により、清国人は解放され清国へ九月十三日に帰国した。清国政府は日本の友情的行動への謝意を表明した。

明治政府は士農工商の身分制度を廃止して四民平等の社会にした。それは奴隷制度の否定でもある。だから、奴隷である清国人（中国人）苦力二三一名を解放したのだ。しかし、奴隷制度を否定している日本が遊女を奴隷にしていると指摘された。そのために明治政府は公娼制度を廃止し、同年十月に遊郭の娼婦たちを自由にする芸娼妓解放令を出したので

ある。明治政府は一時的ではあるが遊女を完全に自由にしたのである。

明治政府は四民平等政策を推し進めていていったが、売春禁止はやらなかった。遊郭からの税収は莫大であったから政府としては簡単に遊郭をやめるわけにはいかなかった。芸娼妓解放令を出した明治政府であったが、遊郭を存続させたいのが本音だったのである。また、遊女を自由にしてしまうといたるところで売春ができることになり、それでは世の中が乱れてしまう。四民平等＝奴隷否定と遊郭の問題で明治政府は苦心する。

明治五年に遊郭の遊女は奴隷であると指摘されて芸娼妓解放令を出してから二十八年間試行錯誤を積み重ねていった明治政府は明治三十三年に「娼妓取締規則」を制定するのである。


一八八九年(明治二十二年)、内務大臣から、訓令で、
これより娼妓渡世は十六歳未満の者には許可しないと布告された。

一八九一年（明治二十四年）十二月までは士族の女子は娼妓稼業ができなかったが、内務大臣訓令によりこれを許可するとした。

一九〇〇年（明治三十三年）五月、内務大臣訓令により、十八歳未満の者には娼妓稼業を許可しないと改正された。

一九〇〇年（明治三十三年）十月、内務省令第四十四号をもって、娼妓取締規則が施行された。

これによって、各府県を通じて制度が全国的に統一された。


昭和四年には、全国五一一箇所の遊廓において貸座敷を営業する者は一万一一五四人、娼妓は五万五十六人、遊客の総数は一箇年に二二七八万四七九〇人、その揚代は七二二三万五四〇〇円であった。

マリア・ルス号事件を体験した明治政府が「娼妓取締規則」を作るにあたって、最も注意を払ったのは公娼は本人の自由意志で決める職業であり奴隷ではないということであった。そのことを示しているのが娼妓取締規則の条文にある。

第三条に、娼妓名簿に登録する時は本人が自ら警察官署に出頭し、左の事項を書いた書面を申請しなければならないと書いてある。娼妓になるのは強制ではなく本人の意思であることを警察

に表明しなければならなかったのである。

第十二条に、何人であっても娼妓の通信、面接、文書の閲読、物件の所持、購買其の外の自由を妨害してはならないと書いてある。娼妓の自由を保障している。

第十三条の六項では、本人の意に反して強引に娼妓名簿の登録申請又は登録削除申請をさせた者を罰すると書いてある。

娼妓の住まいを限定する一方で行動の自由を保障しているから娼妓は奴隷ではないと明治政府は主張したのである。娼妓が奴隷ではないということは四民平等を宣言した明治政府にとって近代国家として世界に認められるかどうかの深刻な問題であった。

多くの評論家が、明治政府が売春婦を性奴隷にさせないために「娼妓取締規則」を制定したという肝心な事実を軽視している。

韓国の自称元慰安婦たちが日本軍に性奴隷にされたと日本政府を訴えているが、戦前の日本政府と日本軍は「娼妓取締規則」を遵守し性奴隷をなくすために努力していた。法治国家であった日本にとってそれは当然のことである。

日本軍が強制連行をやり性奴隷にしたという自称元慰安婦たちの主張は明治政府の四民平等と法の精神を踏みにじるものである。

「少女慰安婦像は韓国の恥である」

「少女慰安婦像は韓国の恥である」で日本、韓国の封建時代の芸妓、妓生や遊郭などの女性のほとんどは少女の時に買われた性奴隷であったという説明が不足していた。封建時代には性奴隷であったことを説明する必要があるが、それだけでは足りない。封建時代の次の明治時代でも遊郭の女性は性奴隷であったのは歴史的事実である。この説明も足りなかった。

娼妓取締規則が施行されたのは明治三十三年である。娼妓取締規則が施行されたが、それが社会に浸透するのには時間がかかった。特に沖縄では娼妓取締規則は浸透していなかった。

子供の頃に母が話したことであるが、戦前は親のいうことを聞かない男の子には「糸満売り」すると脅したそうだ。すると男の子はおとなしくなり親のいうことを聞いたそうである。「糸満売り」とは糸満の漁師に少年を売ることである。売られた少年は漁のやり方を教えられるが、泳ぎを教える時は縄で子供の腹を縛って泳ぐことができなくても海に放り投げたそうだ。少年が海水を飲み死にそうになっても、何度も海に放り逃げたという。だから少年たちは「糸満売り」を怖がった。

女の子には「ジュリ売り」をするぞといったそうだ。ジュリ売りされると遊ぶ自由はなくなり、歌や踊りの厳しい訓練の毎日である。ジュリ売りすると言えば女の子はおとなしくなったそうだ。

ジュリとは遊女をさすことばである。近世から那覇の辻(つじ)(方音チーヂ)や仲島、渡地(わたんじ)は遊廓(ゆうかく)として発展したが、ジュリはそこの遊女をさして使われた。

戦前の沖縄には「糸満売り」「ジュリ売り」があった。

私は二十年ほど前に糸満売りをされたという男性にあった。私の家の前には４００坪のほどの荒れ地があった。荒れ地を地主から無料で借りて畑にしたおじさんがいたが、彼は与那国から糸満に売られたと言っていた。

八歳の時に辻にジュリ売りされた有名な民謡歌手がいる。名前を糸数カメという。彼女は１９１５年６月２６日に生まれ、八歳の時に辻に売られた。大正１２年である。糸数カメは戦後は民謡歌手として活躍した。彼女は民謡だけでなく踊りの達人でもあった。

大好評だった『糸数カメ物語』より
(映像資料：地域史・誌研究サークル『チ

辻とは遊郭のことであり、糸数カメは八歳から歌、踊り、三味線の英才教育を受けた。ポスターに「古典芸能を土台に諸芸能を取り組み」と書いてあるが、それは糸数カメだけでなく、全ての辻の少女が古典芸能を土台に諸芸能を教え込まれたのである。その中でも糸数カメは優秀だったのだ。だから戦後は民謡歌手として活躍した。

　私が糸数カメを知ったのはユーチューブとグーグルのお陰である。戦前の民謡で軍人節というのがある。若い頃に何度も聞いたが民謡に興味のない私は聞き流していた。軍人節は反戦歌と言われている。しかし、戦前に反戦歌などなかったはずである。軍人節の詞の内容を知りたくなった。ユーチューブでは聞きたい歌を探せるので軍人節を探して聞いた。私の聞いた軍人節は嘉手苅林昌と糸数カメのデュエットだった。

軍人節

　作詞・作曲　普久原朝喜

(夫) 無蔵と縁結で月読みば僅か　別れらねなゆみ
国の為でむぬ　思切りよ思無蔵よ
○貴女と縁を結んで（の）日々を数えると僅か（しかない）　別れなければなるまい　国の為であるから　あきらめよ　愛する貴女よ

(妻) 里や軍人ぬ　何んち泣ちみせが　笑て戻いみせる御願さびら　国の為しちいもり
○貴方は軍人になったのです。なぜ泣くのですか。(私はあなたが) 笑ってお戻りくださることをお願いします　国の為（に）軍人としてしっかりと働いてきて来てください。

(夫) 軍人の務め我ね嬉さあしが　銭金の故に哀りみせる母親や如何がすら
○軍人の務めをするのは誇りであるし、嬉しいのだが、(私が居なくなると生活の) お金のために苦労される母親はどうなるのか (心配だ)。

(妻) 例え困難に繋がれて居てんご心配みそな　母の事や思切みそり思里前
○例え困難に縛られていても　ご心配なされないで
母のことは　思いを切ってください。あなた。

(夫) 涙ゆい他に云言葉やねさみ　さらば明日ぬ日に別れと思ば　此の二人や如何がすらなみ
○涙以外に言葉はない　明日に日には別れなければならないこの二人はどうなるのだろうか。

糸数カメの歌を聞いた時、彼女の声が他の民謡歌手とは違っているのに気が付いた。民謡歌手は喉で歌うが、彼女の声はオペラ歌手のように鍛え上げた声をしているのだ。糸数カメの声を聞いて頭に浮かんだのが淡谷のり子であった。糸数カメの声は他の民謡歌手と比べて上品な声をしていた。糸数カメに興味を持ちグーグルで調べた。それで糸数カメが八歳の時に辻に売られたことを知った。

封建時代に存在していた子供の売買は明治時代になってもなくなることはなく続いていたのだ。沖縄では昭和になっても続いていた。その証拠として糸数カメのジュリ売りがある。本土でも女の子の売買はあっただろうし遊女を性奴隷にしている遊郭もあったはずである。

１９１０年韓国併合があり、日本が韓国を統治するようになった。四民平等と法治主義を韓国にも適用したのが日本政府である。１９１６年に妓生や酌婦、芸妓などの遊女を奴隷から解放する貸座敷娼妓取締規則を施行したが、それは明治政府が一方的に韓国に押し付けた法律であり法律を守ろうとする韓国人はいなかったはずである。今までの歴史的伝統である性奴隷システムをしっかりと続けていたはずだ。

韓国では貸座敷娼妓取締規則を施行してもそれを守る業者は少なかった。それは沖縄も同じだ。日本兵相手の遊郭のほとんどの娼婦は業者に買われた性奴隷だったのだ。慰安婦問題で民間の娼婦のことが出てこない。不思議であるし、そのことが慰安婦が性奴隷ではないことの証明を阻んでいる。

慰安婦は日本軍が管理した娼婦である。実際は慰安婦より民間の娼婦が多かったはずである。民間の娼婦のことが出てこない。変である。だから、民間の娼婦と慰安婦を比較することができない。故意に出していない。それが慰安婦は性奴隷ではなく売春婦であったことの証明ができない根本的な原因である。自称元慰安婦は本当は民間の売春婦であり、性奴隷だったのだ。

唯一慰安婦だけは性奴隷ではなかった１

慰安婦問題で絶対に譲れないのが日本軍が管理していた慰安所だけは貸座敷娼妓取締規則の法律が適

用され、慰安婦は職業婦人としての娼婦であったことだ。

唯一慰安婦だけは性奴隷でなかった。ところが日本政府はこの事実を認識することができないようである。政府だけでなく慰安婦は売春婦だと主張する日韓の識者や学者も同じである。

民間の娼婦が性奴隷であり慰安婦は性奴隷ではなかったことを認識していない日本政府は裁判でドジを踏む。

韓国遺族会裁判（アジア太平洋戦争韓国人犠牲者補償請求事件）で、裁判所に提出した金学順の略歴を見れば彼女が慰安婦でなかったことは明白であるのに日本政府は「金学順は慰安婦ではなかった」ことを立証し、主張することができなかったのだ。

もし、金学順が慰安婦であったなら、自分の意思で慰安婦になったこと、父母も賛成したことの書類を警察に提出していた。そして、慰安婦としての報酬をもらっていた。慰安婦であったと主張するならば金学順はそのことを認めなければならなかった。認めなければ慰安婦ではなかったことの証明になるからだ。

金学順は妓生に40円で売られている。彼女は妓生になっていたのだ。40円で売られた金学順は性奴隷の世界から出ることは不可能だった。妓生に売られたことで慰安婦ではないことは決まっていた。

慰安婦ならば韓国で応募して、日本軍が指定した場所に報酬や生活を管理する楼主が連れて行ったはずである。ところが妓生を管理している養父に連れられて中国に行ってから慰安婦になったといっている。慰安婦ならありえないことである。明らかに金学順は慰安婦ではない。性奴隷の妓生である。彼女の居た場所は慰安所ではなく民間の韓国人が経営する遊郭であった。日本兵相手の売春をやったとしても慰安所以外の場所での売春であった。

金学順が慰安婦ではなかったこと。日本軍は関わっていなかったことを日本政府は立証するべきであったのにしなかった。日本政府自体が慰安婦と妓生などの民間の売春婦を区別することができなかったことがずるずると今日まで慰安婦問題が続き、慰安婦＝性奴隷の主張を否定することができていないのである。

政府だけではない。識者や学者も慰安婦が性奴隷ではないことの証明ができていない。封建社会であった江戸時代や大韓帝国時代の遊女は性奴隷だった。明治政府、韓国併合以後に性奴隷から解放する法律はできたが、民間では封建時代の慣習が続き、遊女の性奴隷が多かった。唯一国家機関である日本軍は法律を守り、遊女を性奴隷から解放した。唯一慰安婦だけは性奴隷ではなかったのである。

慰安婦は売春婦だったと主張する日韓の学者たちは慰安婦は売春婦だったと主張するだけである。性奴隷ではなかったという証明はしていない。そもそも彼らは左翼と同じように性奴隷の定義をしていない。

奴隷とは売買される人間のことである。芸妓も妓生も遊女も売られた女性である。だから彼女たちは奴隷であった。

奴隷には職業の選択の自由がない。彼女たちは自分の意思で辞めることはできなかった。だから奴隷である。しかし、慰安婦は自分の意思で辞めることができるから奴隷ではない。

娼妓取締規則は売買を禁止しているし、慰安婦は自分の意思で慰安婦になることを決める。辞めることもできる。だから奴隷ではない。

奴隷には報酬がない。しかし、慰安婦には報酬がある。だから借金を返済するために慰安婦になり、借金を返済した後に慰安婦を辞める女性もいた。

このような事実を知れば慰安婦が性奴隷ではなかったことが理解できる。性奴隷だったのは封建時代の慣習を続けた民間の娼婦だったのだ。

元慰安婦を名乗っている女性たちはみんな民間の娼婦であった。日本軍が管理する慰安所の慰安婦ではなかった。

慰安婦=性奴隷を論破するには明治以前の遊女が性奴隷であった歴史的事実について説明しなければならないと考えている。そして、遊女だけでなく江戸時代=封建社会には奴隷に近い人たちがいて、それが明治以後にも居たことを指摘する必要がある

「慰安婦だけは性奴隷ではなかった」を証明するには江戸から明治の性奴隷であった遊女の解明が必要である。

チャンネル桜沖縄で金城テルさんと私がキャスターを務めた10月10日に私の「これだけは言いたい」コーナーで、江戸時代の芸妓や遊女は性奴隷で

あったことを話した。そして、性奴隷とは売買されたこと、報酬がないこと。職業選択の自由がないことであり、芸妓も遊女と同じ性奴隷であったことを話した。そして、沖縄では吉屋チルーは琉歌の天才として名をはせたが彼女もまた遊郭の性奴隷であり十八歳の時に売春を強要された。しかし、彼女は性奴隷になることを拒み自殺したことを話した。琉歌の天才チルーもまた性奴隷であり、自由になるには死ぬしかなかったのだ。

チャンネル桜で沖縄は明治になっても少年は糸満売り」少女は「ジュリ売り」があったことを話した。韓国も沖縄のように売買があり、妓生のような性奴隷が居たことを話した。戦後の有名な民謡歌手糸数カメも八歳の時にジュリ売りされたことを話した。

するとチャンネル桜が終わった後に、なんと金城テルさんは糸数カメを知っていて彼女の演武も見たと言った。これには驚いた。それだけではなかった。テルさんは奄美大島にも辻があったというのである。また、テルさんが診療所で看護師見習いとして働いていた時に11歳くらいの少女が家事手伝いのために両親に連れてこられた。その時院長が父親にお金を渡すのを見たというのだ。父親は院長に何度もお辞儀をした後に少女を残して去っていった。少女の名前はイヌコといった。イヌコとは犬の子というイメージであるし、まさかイヌコではないだろうと思ってテルさんに聞いたが、テルさんは少女の名前はイヌコであり、はっきり覚えていると言った。

テルさんは少女の名前を言った後に急に笑い出した。笑いながらイヌコのエピソードを話した。

ある日、ヘビースモーカーの院長がタバコを吸いたくなってイヌコに、「マッチ持ってきてくれ」といった。するとイヌコは風呂を沸かしていたかまどから燃えている薪を取り出し院長のところに持ってきたという。

マッチを持ってきてと言われたのにイヌコは燃えている薪を持ってきたのである。イヌコが薪を持ってきた情景を思い出してテルさんは大笑いした。テルさんの説明では大島の地方には「マッチ」に近い発音で「火」をさす方言があり、「マッチ」という共通語を知らないイヌコは院長が「マッチを持ってきて」を「火を持ってきて」と勘違いして燃えた薪を持ってきたのだろうとテルさんは言った。

イヌコは売られたのである。「売られた」という表現に反発する人は多いと思うが、現代の民主主義の視点から見ればイヌコは「売られた」のである。お手伝いとして働くのはイヌコである。だから報酬はイヌコがもらうべきであるがイヌコの報酬は父親がもらった。親がイヌコを売ったという解釈ができる。

貧しい家のイヌコが手伝いとして診療所で働くことは家にとっては口減らしができるから助かる。口減らしだけでなくお金も入る。イヌコはイヌコで貧しい家よりもおいしい食事ができる。親にとってもイヌコにとってもありがたいことである。しかし、現代は働く人に報酬を払う。もし、イヌコのように診療所の家事手伝いをしたなら報酬はイヌコがもらうのが現代社会である。現代は１１歳の子供がイヌコのように働くことは禁じている。義務教育があるからだ。現代は中学を卒業してから働くことになる。戦前の義務教育は小学校までだから小学校を卒業すればイヌコのように働くことはできた。現代は本人に報酬が払われるがイヌコの場合は親に払われた。それから見ればイヌコは親が院長に売ったことになる。イヌコの人権はない。

テルさんはイヌコの話をした後にテルさんが小学一年生の時に赤ちゃんをおんぶして通う少女が二人いたことも話した。赤ちゃんが彼女たちの弟妹であったなら私に話すことはなかっただろう。つまり赤ちゃんは彼女たちの弟妹ではなかった。二人はイヌコのように遠い村から子守としてやってきたのだ。

子守の話を聞いてすぐに頭に浮かんだのが「五木の子守歌」と「叱られて」だった。「五木の子守歌」は子供の頃によく歌っていたが中学生の頃になると子守歌にしてはおかしいなと思いながら歌った。子守歌として「シューベルトの子もり歌」がある。

ねむれねむれ　母の胸(むね)に
ねむれねむれ　母の手に
こころよき　歌声に
むすばずや　楽しゆめ

子守歌とは赤ちゃんを心地よく眠らす歌と思っていたが「五木の子守歌」は違っていた。違いに気づいたのは高校生の時である。私が衝撃を受けたのは四番であった。

四おどんがうっ死んだば
　道端ちゃいけろ
　通る人ごち　花あぎゅう
　私が死んだら墓ではなく道端にいけろというのである。そしたら、道を通る人が花を活けてくれるというのである。子守りなのだから自分の弟妹を子守りしていると思うのが普通である。それなのになぜ家族の墓ではなく道端にいけろというのか。理解できなかった。道端にいけろという理由を三番で歌っている。
三おどんがうっ死んだちゅうて
　誰が泣いてくりょか
　うらの松山　蝉が鳴く
　私が死んだら松山の蝉だけが泣いてくれるというのである。我が子の死を悲しまない親はいない。子守の少女が死ねば親は悲しむはずだ。それなのに少女は親ではなく蝉が泣くというのである。考えられないことである。被害妄想の強い少女なのかもしれないと思ったこともある。貧しい農村の少女が裕福な家に子守として預けられた歴史があることを知って初めて子守の少女がその家の娘ではなく遠く離れた貧しい村の少女であることが分かった。そして、一番の歌の意味を理解した。
一おどま盆ぎり盆ぎり
　盆から先きゃおらんと
　盆が早よ来るりゃ　早よもどる
私はお盆で子守りの仕事が切れる。お盆から先はこの家に私は居ない。親の所に帰れる。
　一日も早く親の待つ家に帰りたい少女の気持ちをうたったのが一番である。しかし、中高生の頃の私ではおどまの意味が分からなかったし、盆ぎりの意味も分からなかった。盆から先きゃおらんとの意味も分からなかった。
　「五木の子守歌」は貧しい農家の少女が裕福な家の子守となり、子守の孤独の気持ちをうたった歌であった。子守奉公に出された娘たちが、背中の赤ん坊をあやしながらわが身を嘆いて歌った子守唄なのである。「竹田の子守歌」も同じである。
　「叱られて」は１９２０年の作品である。「叱られて」も子守りの歌である。子守の歌であることが分かるのが二番である。
二叱られて　叱られて

口には出さねど　眼になみだ
二人のお里は　あの山を
越えてあなた（彼方）の　花の村
ほんに花見は　いつのこと

一番の「この子は坊やを　ねんねしな」で子守であることがわかる。二番で遠い村から来たことがわかる。

『叱られて』は作詞家清水かつらが２１歳頃の作品である。幼い頃に母と生き別れた悲しみを、親元を離れ奉公へ出された子供の心境と重ね合わせた詞だと言われている。「口には出さねど　眼になみだ」は継母に遠慮して反抗することができなかった清水かつらが子守奉公に行く前に、「主人のいうことを聞きなさい。反抗してはいけない」と親にしつけられた子守と重ね合わせたのだろう。

「赤とんぼ」は子守りをされた子の歌である。一、三番でそのことがわかる。

一、夕焼、小焼の、あかとんぼ、
　負われて見たのは、いつの日か。

子守におんぶされて赤とんぼを見たのはいつのことだろう。

三、十五で、姐（ねえ）やは、嫁にゆき、
　お里の、たよりも、たえはてた。

子守を終えて自分の里に帰った子守の姐やは十五歳で嫁に行った。嫁に行く前にはあった便りは来なくなった。「姐や」は自分の姉ではなく、この家で子守奉公していた女中のことである。「お里のたより」は、子守をしていた姐やの故郷からこの家に送られてくる便り。

封建社会の時代は身分制度があり、身分差で裕福と貧困が決まっていた。子守り、女中は貧しい農家から身分のある裕福な家に奉公した。奉公した子守の苦しさ、孤独を歌ったのが五木の子守歌である。

おどま勧進勧進
あん人達や　よか衆
よかしゃよか帯　よか着物

「勧進」とは小作人のことである。あん人達とは地主層のこと。この歌では勧進を「物乞い」「乞食」

という意味で用いられている。歌の意味は「私は乞食のようなものだ。（それにくらべて）あの人たちは良か衆（お金持ち、旦那衆）で、良い帯を締めて立派な着物を着ている」となる。

小作人たちは田畑を地主階層から借り受けて生計を立てなくてはならなかった。娘たちも１０歳になると、地主の家や他村へ子守奉公に出された。五木の子守唄はこの悲哀を歌ったものである。

文化、政治、経済は明治時代になって近代化が進んでいったが、一方で江戸時代のシステムも根強く続いた。子守、女中奉公のシステムは明治以降も続いた。そして、遊郭のシステムも江戸時代の影響を残していた。貧しい村の少女を買い、遊郭で芸、教養を教え、１８歳になるとお客の相手をさせた。

村で少女を買う男を女衒と言った。遊女の居る家を妓楼と言い、主人を楼主といった。遊郭は政府によって場所が決められた。遊郭の収益は莫大であり一流企業と同じ売り上げがあり政府に払う税金も莫大であった。

遊郭は三つに分業化していた。芸に優れた芸妓は踊りや歌などで身分の高い客や金持ちの相手をした。高度な芸を身に着けることができたのはわずかである。芸妓は教養もあり、スポンサーは高額を払って見受けし、妾にするだけでなく妻にするスポンサーも多かった。

明治時代には芸妓の時代と言われた。八歳の頃から芸だけでなく、身分の高い人と接客するための教養も教えられた。だから、芸妓は美貌で社交上手な女性として多くの元勲に愛され、正妻となった者も少なくなかった。グーグルで調べて驚いた。なんと明治時代の有名な政治家が芸妓を妻にしていた。

伊藤博文 ‐ 稲荷町の遊郭・小梅（伊藤梅子）

原敬 ‐ 新橋の遊郭・浅子

新橋の下級芸者の出で美貌でもなく無教養であったが人扱いがうまく、妾を経て正妻となった。

板垣退助 ‐ 新橋・小清（板垣清子）

新橋金春通りの人気芸者だったが板　垣に身受けされ妻として入籍。

犬養毅 ‐ 犬養千代子 … 元芸妓と言われている。。

山県有朋 ‐ 日本橋「吉田屋」大和（吉田貞子）。

陸奥宗光 ‐ 新橋「柏屋」小鈴（小兼とも。陸奥亮子）

木戸孝允 ‐ 京都三本木・幾松（木戸松子）

井上馨 – 新橋・新井武子 … 中井弘の元妻。
桂太郎 – 新橋「近江屋」お鯉（芸妓）
　妾だが正妻病身を理由に実質的な妻として振る舞った。

　芸妓は芸に優れていただけでなく、才女でもあったから、多くの明治の政治家が妻にしたのである。芸妓ほど優れてはいないが踊りや歌を披露したのが芸者である。芸者は踊りや歌だけでなく性の相手もした。芸をしないで売春だけをしたのが娼婦である。

　江戸時代では城下町ができ、町人経済が発展していった。金持ちではない町人を相手の娼婦が増えていっただろう。遊郭は分業化していった。

　明治33年(1900年)10月2日に発布され明治政府が制定した娼妓取締規則は「娼妓」と書いてあるように芸妓は対象ではなかった。娼婦が対象の法律であった。だから、18歳以上を条件にしたのである。娼妓取締規則が施行されてからは規則を守る業者と守らない業者が入り交ざっていっただろう。沖縄では「ジュリ売り」が戦前まであった。

唯一慰安婦だけは性奴隷ではなかった2

明治維新は日本の近代革命だった

　慰安婦問題で私たちが認識しなければならないのは日本軍が慰安所を管理したこと、日本軍は国の機関であり民間団体ではないことである。明治時代の日本は法治国家であり、日本軍は日本の法律に則って行動をした。この認識が必要である。

　明治には産業革命と政治革命が同時に起こった。日本の近代化である。

明治の産業革命

　明治政府は江戸幕府下の士農工商の身分制度を廃止し、「四民平等」を謳った。しかし、明治4年に制定された戸籍法に基づき翌年に編纂された壬申戸籍では、旧武士階級を士族、それ以外を平民とし、旧公家・大名や一部僧侶などを新たに華族として特権的階級とすると同時に、宮内省の支配の下に置くことになった。

四民平等にはなったが大地主制度は残った。だから氏族や家族は大地主となり、小作人は江戸時代と同じく氏族や家族から土地を借りて貧しい生活を強いられた。四民平等になっても小作人は貧困のままだった。小作人の貧困を救ったのが移動の自由と明治政府の産業革命であった。

明治4年(1871年)に、倒幕の中心であった薩摩・長州藩出身の指導者である大久保利通と木戸孝允らにより廃藩置県が実施され、府県制度となり中央政府から知事を派遣する制度が実施された。中央集権制度の始まりである。廃藩置県によって国民の移動が自由になった。小作人の子供は仕事を求めて東京などの都市部に移動した。全国の村からやってきた人たちによって東京の人口は一気に増加した。

工業化の象徴とも言うべき官営の鉄道建設が、1870年代、明治5年に東京・横浜間、明治10年に京都・大阪・神戸間(うち大阪・神戸間は74年から開業)開業した。

1880年になると、日本産業革命の開始を告げる資本制企業の本格的な企業勃興があり。明治19年から明治25年にかけて14の鉄道会社が開業した。官設鉄道と私鉄鉄道はどんどん開業していった。

明治政府は明治11(1878)年、英国マンチェスターからミュール2,000錘紡績機2台を購入し、官営紡績所を設立。その後も次々と官営工場を設立し、民間に払い下げた。

明治15(1882)年、渋沢栄一らの主唱で、大阪に近代的設備を備えた大阪紡績会社(現・東洋紡)が設立され、これが刺激となり、明治19(1886)年から明治25(1892)年にかけて、三重紡績、天満紡績(いずれも現・東洋紡)、鐘淵紡績(旧・鐘紡)、倉敷紡績、摂津紡績、尼崎紡績(いずれも現・ユニチカ)など20に及ぶ紡績会社が次々と設立された。大阪は「東洋のマンチェスター」とよばれるようになり、その後、日本は世界最大の紡績大国に成長していった。すごいことである。

日本の産業革命は明治政府主導で始まった。女工の労働条件も政府が決めていったので彼女たちが奴隷にされることはなかった。多くの13歳前後の娘たちが紡績工場で働いた。女工と子守女中とは決定的な違いがあった。紡績会社は親ではなく女工に報酬を与えた。女工たちは年に一度家に帰る正月に貯金したお金を親に渡したという。

子守や女中奉公は本人ではなく親にお金を渡した。そして、主人の屋敷に住み、一日中働かなければならなかった。それは奴隷に等しいものであった。五木の子守歌は子守の奴隷状態を歌ったものである。しかし、女工は違った。奴隷ではなかった。給料も、休みもあった。

女工の勤務体制

朝の７時~夕方の４時半まで　実働時間　７時間４５分(ただし、季節によっては勤務時間がちがう)

休日　年間７６日

内訳　日曜日　５０日
祭日　６日
年末　１２月２９日~１２月３１日
正月　１月１日~１月７日
暑休　１０日

女工さんの給料

一等工女　２５円　二等工女　１８円　三等工女　１２円　等外工女　９円

給料は月割りで支給。別に作業服代として、夏冬５円支給された。

明治８年には４段階から８段階に変更。年功序列ではなく能率給。

現在からみれば明治の女工は冷遇され奴隷のようだと思うが、現在からではなく封建社会であった江戸時代から見れば女性が解放された。

明治の政治革命

アジアで初めて内閣・憲法・国会という三権分立の近代政治３点セットの最初である近代内閣制度が成立したのは１８８５(明治１８)年のことである。

承久の乱以降天皇の権力は完全になくなる

後鳥羽上皇は、治天として専制的な政治を指向し、幕府の存在を疎ましく感じていた。源実朝の暗殺を幕府の混乱・弱体化と見た後鳥羽は、政権を朝廷に取り戻そうと考えた。そして、承久３年（１２２１年）５月、後鳥羽は北条義時追討の院宣を発した。後鳥羽は、ほどなく義時が討ち取られ、関東武士たちも帰順すると見込んでいたが、幕府側は、頼朝以来の御恩を訴え、御家人の大多数を味方につけた。そして、短期決戦策を採り、2ヶ月も経たないうちに朝廷軍を打ち破った。

　幕府側の主導で戦後処理が進められた。主謀者の後鳥羽上皇、そして後鳥羽の系譜の上皇・皇子が流罪に処せられ、仲恭天皇は退位、朝廷側の貴族・武士も多くが死罪とされた。朝廷の威信は文字どおり地に落ち、幕府は朝廷監視のために六波羅探題を置き、朝廷に対する支配力を強めることとなる。権力は軍事力がなければ掌握できない。承久の乱以後江戸幕府時代まで軍事力のない天皇が権力を握ったことは一度もない。

　士農工商の身分制度であった江戸幕府を倒して明治政府が誕生した。

　明治政府は藩閥政治から始まったが、藩閥政治は自由民権運動という民主化運動によって崩壊し、大日本帝国憲法が制定されて日本は法治国家になった。

　明治22年（1889年）に大日本帝国憲法が公布された。翌年帝国議会が発足し、アジアでは初の本格的な三権分立の立憲君主制・議会制国家が成立した。

立法
帝国議会
貴族院　衆議院
行政
内閣
国務各大臣
（内閣総理大臣　外務大臣　内務大臣　大蔵大臣　陸軍大臣　海軍大臣　司法大臣　文部大臣　農商務大臣　逓信大臣）
外務省　内務省　大蔵省　陸軍省　海軍省　司法省　文部省　農商務省　逓信省
司法
裁判所　大審院　控訴院
地方裁判所　区裁判所

江戸幕府独裁から法治主義・三権分立国家になった明治政府は政治革命であった。アジアでは初の近代国家になったのである。

　1890年（明治23年）に施行された大日本帝国憲法（明治憲法）は、4条で「天皇ハ國ノ元首ニシテ統治権ヲ総攬シ此ノ憲法ノ條規ニ依リテ之ヲ行フ」と定められているように日本は天皇主権であるか否かの問題があるが、天皇主権は形式的なものであり、実質的には天皇に主権はなかった。もし、天皇主権であれば天皇が政権を握り天皇独裁国家でなければならない。しかし、天皇には主権がなかったから天皇独裁国家にならなかった。

条文の解釈や憲法の解釈運用にあたっては、天皇主権を重んじる君権学派（神権学派）と、議会制を中心とした立憲主義を重んじた天皇機関説の立憲学派に分かれたが、そもそも学派が存在すること自体が天皇主権ではなかった証拠である。

１９１３年（大正２年）には機関説が勝利し、憲法は機関説で運用された。その後、１９３５年（昭和１０年）の天皇機関説事件で美濃部ら立憲学派（天皇機関説）が排撃され、同年に政府が発表した国体明徴声明では天皇主権を中心とした解釈（天皇主体説）が公定されたことで、以後、政府の公式見解では機関説は排され、天皇主体説を主導した右翼勢力、軍人の力が拡大したが政治の実権を握ったのは天皇ではなかった。天皇主権を主張した右翼と軍人が政権を握った。軍国主義国家になっても四民平等・法治主義は堅持された。

産業革命と政治革命を実現したのが明治であった。二つの革命により大和朝廷から始まった封建制度に終止符を打ち、生産の近代化、政治の四民平等・法治主義が始まったのである。明治が近代国家になったのは産業革命と政治革命が実現したからである。

日韓併合前の韓国

慰安婦問題を正しく分析するには日韓併合前の韓国がどんな国であったかを理解する必要がある。

日韓併合前の韓国は大韓帝国であった。韓国も帝国主義国家だったのである。

大韓帝国は１８９７年から１９１０年までの国号であり、その前は李氏朝鮮であった。李氏朝鮮は１３９２年から１９１０年にかけて朝鮮半島に存在した国家であった。李氏朝鮮は朝鮮民族国家の最後の王朝であり、専制君主国家だった。現在までのところ朝鮮半島における最後の統一国家である。

李氏朝鮮は封建国家であり、身分差別の社会であった。李氏朝鮮だけでなくほ日本以外のアジアの国のほとんどの国家は身分差別の封建社会であった。明治政府だけが身分差別を排して四民平等の近代国家になった。

大韓帝国には奴隷制度があった。奴隷の奴婢は主人の所有物であり財産であって、売買・略奪・相続・譲与・担保・賞与の対象となっていた。

１９０９年に奴隷制度が廃止された。廃止されたのは日韓併合の前年であり、日本政府の指導があったからである(指導というより強制といったほうがいいかも)。日本政府は韓国を日本のように四民平等、法治国家の近代国家にしようとしていた。韓国統監府は戸籍制度を導入することで、人間とは見なされていなかった姓を待たない賤民階層にも姓を許可した。これにより、彼らの子供たちは学校に通えるようになった。身分解放に反発して激しい抗議デモを繰り広げたが、身分にかかわらず教育機会を与えるべきと考える韓国統監府によって即座に鎮圧された。激しいデモがあったということは韓国社会には奴隷制度が根強く存在し続けたことが容易に想像できる。

１９８０年にソウルで発行された本には「奴婢の制度は支配階級のひどい虐待のもとで、ごく最近まで続いた。１９２０年代においても朝鮮の家庭ではほとんど例外なく、聴直・床奴・上直・住込み女中などという奴婢を置いていたと記されている。明治政府の四民平等政策は朝鮮社会に広く浸透することはなかったのである。

妓生

妓生とは、元来は李氏朝鮮時代以前の朝鮮半島に於いて、諸外国からの使者や高官の歓待や宮中内の宴会などで楽技を披露したり、性的奉仕などをするために準備された奴婢の身分の女性である。

妓生は３つのランクに別れていた。最上の者を一牌（イルペ）、次の者を二牌（イペ）、最も下級な者を三牌（サムペ）と呼んだ。

一牌　妓生は、妓生学校を卒業後は宮中で楽技を披露した。宮中に入れた一牌妓生は身体を売る事は無いことを建て前としていたが、特定の両班に囲い込まれる事で資金的援助を得る「家畜制度」（畜は養うと言う意味）が認められていた。これは、事実上の妾制度である。日本の芸妓と同じであった。

二牌　殷勤者または隠勤子といい、隠密に売春業を営んだ女性をさし、一牌妓生崩れがなったという。日本の遊女、芸者である。

三牌（三牌妓生）は完全に娼婦である。

日本の娼妓取締規則は娼婦を対象とした法律である。娼婦を奴隷から解放した法律なのだ。韓国では日本政府の指導によって１９１６年に貸座敷娼妓取締規則が施行された。貸座敷娼妓取締規則は娼婦になるには警察に届けること、報酬をちゃんともらうことなど、娼婦を奴隷から職業婦人にさせて奴隷から解放する法律であった。

貸座敷娼妓取締規則は明治政府の四民平等の精神から制定されたものであり、奴隷である妓生を解放する法律であった。貸座敷娼妓取締規則は明治政府が韓国に強制したものである。韓国社会に定着している妓生制度を破壊するものであり貸座敷娼妓取締規則を浸透させるのは難しかった。

貸座敷娼妓取締規則を制定しても日本から移住してきた業者は守ったが、妓生を性奴隷にしたほうが収益は大きかったし、妓生売買のシステムが定着していたから貸座敷娼妓取締規則を守る韓国の業者は少なかっただろう。

慰安婦は日本軍兵士を相手にする娼婦である。しかし、日本軍が娼婦を集めたのではないし、慰安所を経営したのでもない。日本軍が管理したのは慰安婦と業者の楼主に娼妓取締規則を守らせることと、慰安婦の安全であった。日本軍が経営にタッチすることは許されないことだった。慰安婦を集めたのは楼主という業者である。楼主が慰安婦を集め、日本軍が管理する慰安所で働かし、慰安婦の報酬や生活を管理した。日本軍の憲兵は法律を守るように監視した。

慰安婦は日本では募集広告を出していないが韓国では出している。日本では遊郭の娼婦を慰安婦にすることができたし、娼婦を集める事業は広く定着していたから広告なしに集めることが日本ではできたのだろう。しかし、大陸で戦場が拡大していき日本だけで慰安婦を集めることが困難になり、韓国でも集めることになった。

韓国では日本のように娼婦を集める事業はなかった。娼婦を集めるのに一番効果があったのが広告だった。だから広告を出したのである。

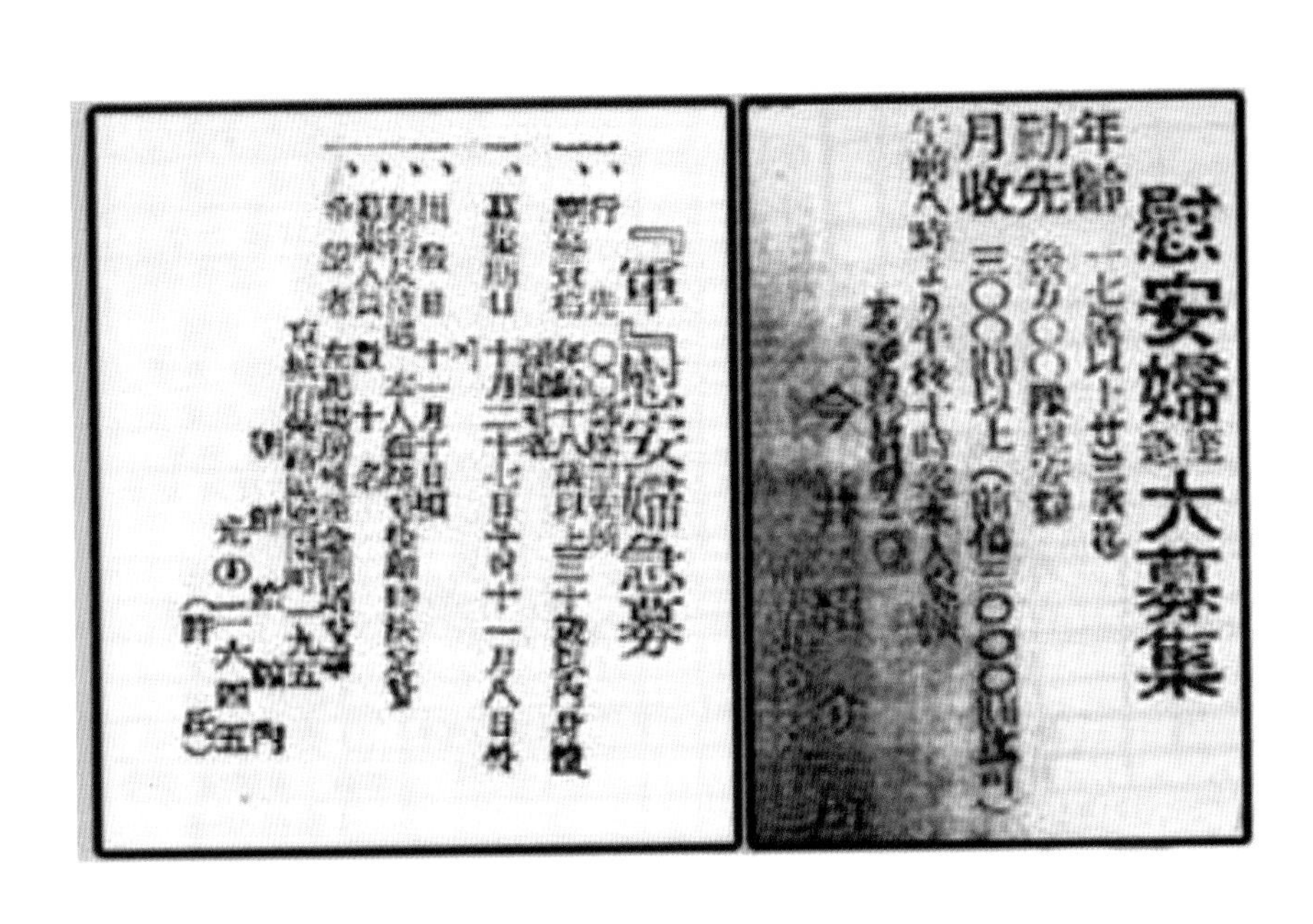

韓国女性が慰安婦になるには警察に娼婦になる手続きをし、次に楼主と慰安婦契約をする必要があった。日本軍が慰安婦を集めたというのは間違いである。日本軍は楼主に要請し、楼主が慰安婦を集めたのだ。もし、楼主が自分の情報で集めることができたら広告は出さなかっただろう。日本軍の要求する慰安婦を集めることができなかったから広告を出したのだ。

アジアで明治政府が初めて四民平等を掲げて娼婦の性奴隷を禁止したのが娼妓取締規則であり、韓国の貸座敷娼妓取締であった。法治主義の日本軍が管理していた慰安所の慰安婦は確実に性奴隷ではなかった。性奴隷であったのは韓国社会の娼婦である妓生であったのだ。韓国の妓生業者は満州、中国に進出した日本軍を追って進出し、日本兵相手に売春業を営んだ。

慰安婦問題で民間の売春婦が登場してこないのは、民間の売春婦である妓生が慰安婦を名乗っているからである。この事実を見抜けないのが日本の識者である。情けない。

李容洙は慰安婦ではなかった妓生（韓国の性奴隷）だった

２０１９年１１月１３日、韓国の首都ソウルの裁判所で、元慰安婦を名乗る女性たちが日本政府を相手取って損害賠償を請求する訴訟が始まった。李容洙（イ・ヨンス）はその一人である。

李容洙は慰安婦ではなかった。彼女は慰安婦にさせられたことを裁判で証言しているが、証言は逆に慰安婦ではなかったことを証明している。李の証言について産経新聞は主張する内容を変更していることから信憑性がないと指摘しているが、信憑性があるなしにかかわらず李容洙の証言すべてが彼女が慰安婦ではなかったことを明らかにしている。彼女の証言を列挙する。

１９９３年当時の李容洙の証言

「１９４４年夏のある日、酒屋をやっていた友達（キムプンスン）のお母さんが「今のような苦しい生活をしている必要はないじゃないか。私の言うところに行けばご飯がたくさん食べられ、豊かな生活ができる」と言いました。ですが私は「嫌だ」と言って飛び出て来ました。それから何日かたったある日の明け方、キムプンスンが私の家の窓をたたきながら「そうっと出ておいで」と小声で言いました。私は足音をしのばせてそろそろとプンスンが言う通りに出て行きました。母にも何も言わないで、そのままプンスンの後について行きました。～（中略）～行ってみると川のほとりで見かけた日本人の男の人が立っていました。その男の人は四十歳ちょっと前ぐらいに見えました。国民服に戦闘帽をかぶっていました。その人は私に包みを渡しながら、中にワンピースと革靴が入っていると言いました。～（中略）～それをもらって、幼心にどんなに嬉しかったかわかりません。もう他のことは考えもしないで即座について行くことにしました。大邱から私たちを連れて来た男が慰安所の経営者でした。」

２００２年６月２６日の証言「１４歳で銃剣をつき付けられて連れてこられた」「拒むと殴られ、電気による拷問を受けて死にかけた」

２００４年１２月４日の証言「１９４４年、１６歳の時に『軍服みたいな服を着た男』に連行され、台湾へ。移動中の船の中で、日本の兵隊たちに繰り返し強姦される。台湾では、日本軍「慰安婦」としての生活を3年間強制された。「慰安所」では1日に何人もの兵士の相手をさせられ、抵抗すると電線のようなもので電流を流されたり、丸太で叩かれたりの暴行を受けた」

2006年10月13日の証言「15歳で韓国・大邱の家から軍人に拉致され、台湾まで連れ去られ、敗戦で解放されるまでの3年間も慰安婦をさせられた」

2007年2月23日の証言「15歳のとき、小銃で脅され、大連から、台湾に連行され新竹海軍慰安所で特攻隊員の慰安婦とされた」

2007年3月1日の証言「16歳のとき、台湾で特高隊員に口を塞がれて連れて行かれた」

2007年4月27日の証言「私は15歳の時に拉致された。まわりの女性は誰も売春婦のようにはお金をもらっていなかった」

2007年4月28日の証言「16歳の時に強制連行され、2年間日本兵の慰安婦をさせられた」「日本兵に足をメッタ切りにされ、電気による拷問を受けた」

2007年6月14日の証言「15歳の時、両親のもとから連れ去られ、台湾の特攻隊の慰安所に送られた」「台湾の慰安所で、『言うことを聞いたら、お父さんお母さんにまた会わせてやる』と言われ、されるがままになりました。ひどいことをされ、腹膜炎になりました。」

2007年の証言「1944年10月、夕方に家の外に出てからわけも分からないまま台湾にある日本軍慰安所までつれて行かれた」「強要に負けて，一日に少なくとも20人、多くは70人の日本軍に性暴行にあって，生理中にも日本軍を受けるとしたし、要求を拒否でもすれば刀でぐいぐい裂く残忍な暴力と殺しまであわなければならなかった被害者たちに自分の考えで身を売ったという意味を持つ，慰安婦という呼称は当然しない」

2011年12月13日の証言「15歳の時に台湾の神風部隊に連れて行かれあらゆる拷問に遭いほとんど死ぬところだった。一緒に連れて行かれた他の女性2人は死んだ。」

2012年9月12日の証言「15歳のときに、自宅で寝ていたところを日本軍によって連行されました。帰りたいと言うと「言うことをきかなければ殺す」と脅され、軍靴や棒で顔や体に暴力を受けました。各地を日本軍とともに転々とし、１７歳で父母の元に帰るも、「また捕まるのではないかと思うと、顔を上げて歩けない。誰にも話せなかった」
２０１２年９月の証言「１９４４年、１６歳の時に台湾の新竹にある慰安所へ。生理の時も強姦された」

慰安婦になるには１７歳以上で自分の意思で慰安婦になることに同意し、両親が許可したことを書いた書類を警察と日本軍に提出しなければならない。この書類を提出しない限り慰安婦にはなれない。李容洙(は一度も書類を提出した証言をしていない。

日本軍占領中のインドネシアの捕虜収容所で、オランダ人女性を慰安婦にさせ、監禁・強姦したといわれた事件があった。抑留所から１７歳から２８歳の合計３５人のオランダ人女性を強制的に集め、慰安婦にさせたが、その時に日本語で書いた慰安婦に同意する趣旨書への署名を強制したのである。日本語を読めない女性たちは内容を知らずにサインをした。それは明らかな違法行為である。

自分の娘を連れ去られたオランダ人リーダーが、陸軍省俘虜部から抑留所視察に来た小田島董大佐に訴え、同大佐の勧告により１６軍司令部は、１９４４年４月末に４箇所の慰安所を閉鎖した。例え捕虜であっても慰安婦になることを強制してはならないのが日本軍の規則であった。慰安婦になることに同意した女性だけを慰安婦することが決まりであった。

韓国の民間人であった李容洙が慰安婦になるには自分の意思で決めなければならなかった。慰安婦になりたくなければ慰安婦にならなくてよかった。李容洙が慰安婦になったのは自分の意思とは関係なく連れ去られたからだと証言している。誘拐されたかそれとも李容洙の知らないうちに親に売られたかのどちらかで慰安婦になったのである。そんな慰安婦は日本軍の慰安所にはいない。慰安婦には必ず報酬があるが李容洙はなかったという。彼女は紛れもなく韓国性奴隷の妓生である。絶対に慰安婦ではない。

慰安婦であるか否かの見分けは単純明快である。慰安婦になることを承諾する書類を日本軍に提出したこと、慰安婦としての報酬があったことである。。

日本の慰安婦裁判で、元慰安婦を名乗る女性たちに同意書類提出の有無と報酬の有無を追及すれば彼女たちが慰安婦でなかったことが明らかになり、決着が簡単についていただろう。

二大政党を目指して

維新の会福島原発処理水大阪湾放出　この態度こそ国政に必要

日本維新の会の松井一郎代表（大阪市長）は東京電力福島第1原子力発電所で増え続ける有害放射性物質除去後の処理水に関し、「科学が風評に負けてはだめだ」と主張し、環境被害が生じないという国の確認を条件に、大阪湾での海洋放出に応じる考えを示した。

国政政党で福島の処理水を国内の湾内に放出すると言ったのは維新の会が初めてである。画期的な発言である。

松井代表の発言のきっかけは、原田義昭前環境大臣が、退陣目前の日に、福島原発処理水について「多少所管は外れるが、それ（処理水）を思い切って放出して希釈する」と放出を提案したことに対し、就任当日の9月11日に小泉進次郎環境相が、「所管外で、（原田氏の）個人的な見解」、「福島の皆さんの気持ちを、これ以上傷つけないような議論の進め方をしないといけない」と述べ、翌12日には、小泉進次郎環境相は、福島県の内堀雅雄知事や漁業関係者を訪ね、原田氏の発言は国の方針ではないと釈明し、「率直に申し訳ない」と頭を下げたことにある。

原発汚染処理水（トリチウム）海洋放出は問題ないのにそのことを知らないことで、「初入閣で露見した小泉進次郎の原発汚染水に関する無知と勉強不足」と小泉進次郎が頭を下げたことにマスメディアの批判は集中した。

しかし、維新の会の対応は違った。松井一郎代表は危険がなければ大阪湾に放出してもいいといったのである。松井代表だけではない。

維新の橋下徹元代表は、海洋放出について「大阪湾だと兵庫や和歌山からクレームが来るというなら、（大阪の）道頓堀や中之島へ」とツイッターで発信した。小泉氏には「これまでのようにポエムを語るだけでは大臣の仕事は務まらない。吉村洋文大阪府知事と小泉氏のタッグで解決策を捻り出して欲しい」と、小泉環境相を批判するのではなく、吉村府知事とタッグを組んで処理水の処分を提案した。

橋下徹元代表の提案に応えるように吉村府知事も

ツイッターで「誰かがやらないとこの問題は解決しない。国の小泉氏が腹をくくれば、腹をくくる地方の政治家もでてくるだろう」と発信した。そして、国と地方が連携し、被災地の負担を軽減していく必要性を述べた。

福島の海に処理水を流せば風評被害をなくすのが困難である。しかし、大阪湾に流せば風評被害は一気になくなる。

ＩＡＥＡ（国際原子力機関）の総会で、韓国政府代表は原田氏の発言を批判し、「もし海洋放出するなら、もはや日本の国内問題ではなく、生態系に影響を及ぼしかねない深刻な国際問題だ」と主張した。竹本科学技術担当大臣は「科学的根拠に基づかない批判」だと反論したが、韓国政府の主張を支持する国もあるだろうし、海洋放出では風評被害を打ち消すことは困難である。

大阪湾に放出するということになれば大阪府民だけでなく国民も福島の処理水について真剣に考えるようになるだろうし、実際に放出すれば本当に被害があるかないかに日本中が注目する。そして、被害がないと判明すれば風評被害はなくなる。福島処理水問題も解決する。

風評に勝つ政治を目指している維新の会は高く評価するべきである。反安倍政権で「共同会派」を結成する立憲･国民なんて政党のあるべき姿ではない。反安倍ではなくて超安倍を目指す政党でなければ政権党にはなれない。

風評被害をなくし、福島原発処理水を解決するための政策を考えて安倍政権ができないことをやるのが野党政党に求められていることである。数を増やすために政策はそっちのけにして「共同会派」をつくることに汲々としている立憲・民主には政権党になれる能力はない。せいぜい安倍政権の政策に反対し、実現するはずのない観念的な政策を振り回し続けるだけである。

維新の会は大阪市立大の学費の実質無償化を実現しようとしている。安倍政権は低所得世帯を対象に大学や短大の学費を減免するが、対象が低所得世帯に限られる政策である。安倍政権の政策を超えて、「高等教育の無償化を目指した」政策を導入するのが維新の会である。大阪府が実現すれば「高等教育の無償化」は全国に広がるだろう。これこそ野党政党に求められていることである。単純な反安倍は野党に求められていない。

笑ってしまう　「表現の不自由展・その後」が「鑑賞の不自由展・現在」に

愛知県で開催中の国際芸術祭「あいちトリエンナーレ２０１９」の企画展「表現の不自由展・その後」は８日午後２時１０分に再開した。ところが見学するのは不自由なのだ。鑑賞したい人全員が鑑賞できるわけではない。

１回あたり３０人に限られ、一日にたった２回である。その上解説する教育プログラムを受けなければならない。鑑賞する前に教育されるのだから自由な鑑賞ではなく、洗脳鑑賞である。芸術の一番大切なことは自由な気持ちで鑑賞することである。「表現の不自由展・その後」は不自由な鑑賞展である。

鑑賞に来た人々は愛知芸術文化センターの中で長い列を作り、番号が書かれたリストバンドを受け取った。芸術祭の担当者によると、その後、コンピューターによる抽選で３０人が選ばれた。倍率はなんと２０倍であり、２０人の中のたった一人しか鑑賞できない。

自由な気持ちで鑑賞することができず、自由に鑑賞することができないのが「表現の不自由展・その後」である。正真正銘の「鑑賞の不自由展・現在」である。不自由に満ち溢れた「表現の不自由展・その後」には笑ってしまう。

報道では少女慰安婦像を問題にしているがそれよりも問題であるのは「昭和天皇の写真を焼き、足で踏みつけるような映像作品の公開」である。少女慰安婦像よりも昭和天皇の写真焼きのほうが日本国民には分かりやすい問題である。

抗議電話をした愛知県民は、主に昭和天皇の御真影を燃やしていることについて抗議したにもかかわらず、愛知県は勝手に昭和天皇に関する部分をカットし、所謂「少女像」に関する部分だけの音声を全世界に向けて公開した。昭和天皇写真焼きが伏せられたのである。愛知県と同じようにほとんどの報道は少女慰安婦像についてだけ報道している。ほとんどのマスメディアは国民がもっとも反発し怒るであろう昭和天皇写真焼きを隠しているのである。

「天皇の御影を焼いた動画」展示への国税補助中止は当然

名古屋で行われた「あいちトリエンナーレ」(8月1日~10月14日)での「表現の不自由展・その後」をめぐって日本の芸術、国の進路が一つの分岐点にきているのではないかとの危機感を感じているという白川昌生氏の意見が沖縄タイムス紙に載った。白川氏が危機感を感じたのは河村たかし名古屋市長が不自由展の作品は「多くの日本人の心を傷つけるものだ」として展示の即時中止を要求したことと、美術館、県にメール、電話、ファクスによる攻撃が行われ、ガソリンを撒(ま)くぞという脅迫が送りつけられることで、大村秀章愛知県知事は展覧会の中止を決め、8月4日から会場は閉鎖されてしまったことである。

抗議の対象となったのが「平和の少女像」と、大浦信行さんの「遠近を抱えて」の2点であったが、白川氏は、前者を「慰安婦像」と呼び、後者は「天皇の御影を焼いた作品」であるとするのは「誤解」であると述べ、誤解が広まっていると指摘している。

少女像は韓国の少女慰安婦像と寸分違わない。韓国では「少女慰安婦像」、名古屋の展示会では「平和の少女像」と同じ像を場所によって変えることは欺瞞である。

マスメディアは少女慰安婦像は写真や映像を何度も報道するが、「天皇の御影を焼いた作品」の写真はほとんど報道しない。それにNHKのニュースではありえないことが起こった。NHKニュースで河村市長のデモ隊が持つ「陛下への侮辱を許すのか」「天皇陛下の御真影を燃やすな」のプラカードを映していないのだ。二つのプラカードを完全カットして放映したのがNHKニュースである。マスコミは「天皇の御影を焼いた作品」については全然報道しない。

白川氏はタイムスで「天皇の御影を焼いた作品」であるとするのは「誤解」であると述べている。河村市長のデモ隊は嘘のプラカードを掲げたのか、天皇の御影を焼いた作品」であるとするのは「誤解」なのかどうか。動画の写真を見ればわかる。ブログ「正しい歴史認識には写真が掲載されている。

昭和天皇の顔の写真をガスバーナーで焼いている。

白い馬に乗った昭和天皇の写真を焼いている。

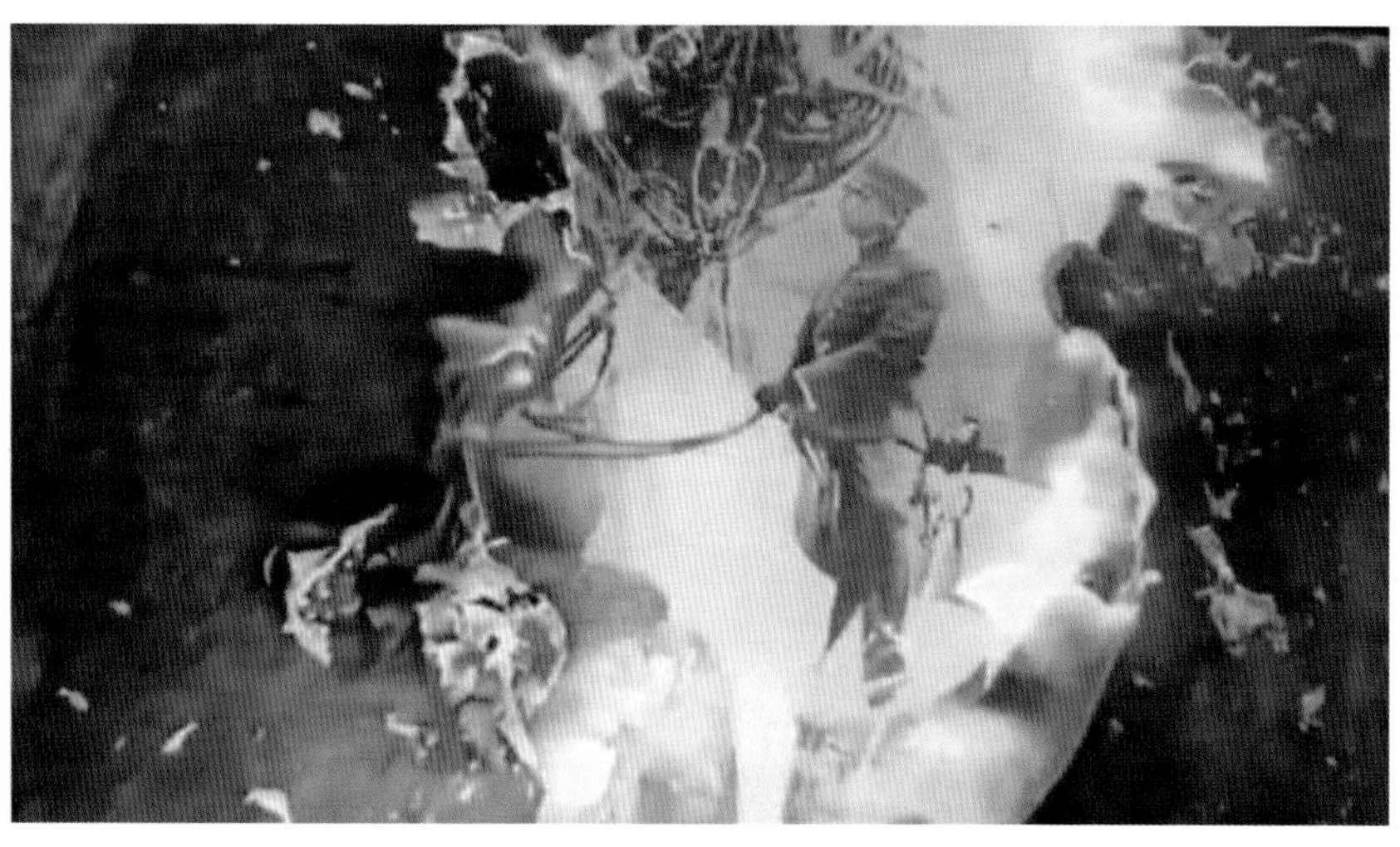

燃えた写真を靴が踏んづけている。

天皇陛下の写真をガスバーナーで焼き、灰になった写真を靴で踏んづけるという動画である。こんな動画を芸術というのはおかしい。でも芸術だと主張するのは自由である。日本は表現の自由な国だ。しかし、こんな昭和天皇を侮辱しているだけの芸術性のない動画を国民の税金で展示するというのはおかしい。税金を使うべきではない。この動画は芸術作品というより天皇侮辱作品である。

白川氏は社会、政治、生活とは関係を持たない純粋な美を求めるような芸術表現を否定し、社会に生きて感じる喜び、苦悩、矛盾、予感などを表現するのが芸術であると述べ、芸術が批判的精神を持つことを現政権は認めようとしないと批判するが、昭和天皇の御影を焼いた動画には白川氏の主張する喜びも苦悩も矛盾も予感もない。白川氏の芸術論でも芸術とは言えないものである。

それでも芸術だと主張して発表するのはいい。しかし、今回の問題は国民の税金を「天皇の御影を焼いた作品」の展示に使っていいかどうかの問題である。税金を使わない民間の資金で展示するなら問題はない。芸術表現は自由だから。しかし、国民の税金を使うということになると違う。税金を使う展示会と民間資金による展示会は区別するべきである。ところが白川氏は税金であろうが民間資金であろうが表現の自由を根拠にして「天皇の御影を焼いた作品」を表現するべきだというのである。

「表現の自由は表現のみならず、それと不可分の、見る・知る権利とも繋がり、民主主義体制の中ではそれは基本的人権ともつながるものなのである」と述べて、大日本帝国へ回帰したい右翼政治家には、国民に人権はいらないと発言する議員もいるのが現状であると、なんと大日本帝国主義まで持ち出していく。そして、河村たかし名古屋市長が不自由展の作品は「多くの日本人の心を傷つけるものだ」として展示の即時中止を要求したことや、美術館、県にメール、電話、ファクスによる抗議を攻撃だと決めつける。抗議をした人たちを右翼呼ばわりする。白川氏にとって「表現の不自由展・その後」批判者＝右翼なのだ。

白川氏は安倍政権を右翼政権、帝国主義などと非難し、国の補助カットは「現政権にとって不都合と判断されたものは、『見させない』『聞かせない』『言わさせない』『やらせない』という文化統制的な縛りでやっていくぞ」という意思表示だと批判しているが、中止を決めたのは愛知県知事であり、中止した理由は抗議が殺到したからであった。安倍政権は展示会の中止については全然関係がない。補助金カットの原因は展示会を中止するほどの抗議を受けたからであり、実際に中止をした、その責任は愛知県側にあるのに白川氏は安倍政権の責任だと非難する。

現在の日本は代議制の議会制民主主義国家であり、国民が選んだ議員によって国は運営されている。現政権は国民の支持によって成り立っている。国民の代理として政治を行っているのが安倍政権である。安倍政権の支持率は過半数を超えている。安倍政権か右翼政権であるならば国民は右翼であるということであり、安倍政権が帝国主義というならば国民は帝国主義ということである、そんなことはあり得ない。安倍政権は民主政権である。民主政権を右翼、帝国主義呼ばわりする白川氏は客観的に安倍政権を見る能力がないということである。ゆがんだ民主主義に凝りかたまっているのが白川氏である。

夕刊フジは、

「昭和天皇の写真を焼き、足で踏みつけるような映像作品の公開への税金投入をどう思いますか」の世論調査をした。

（投票、約６６５９０票）
○賛成３％
○反対９４％
○どちらでもない３％
世論調査では税金投入反対が９４％である。動画の写真を見れば国民の民意も世論調査と同じになるだろう。

民主主義に逆行しているのは国民が反対する「少女慰安婦像」「「天皇の御影を焼いた動画」の展示を国民の税金でやろうとしたことである。国民の税金を「表現の自由」「民主主主義」の名のもとに自分勝手に使うのを主張しているのが白川氏氏である。

白川氏は最後に「敗戦後に作られた民主主義の崩壊に向かっているのではないかという危機感を感じざるを得ない」と述べている。

民主主義を構築していくのは国会で決める法律である。法律を破ることができない行政の安倍政権が民主主義を破壊することはできない。そもそも国民主権・議会制民主主義日本は民主主義を発展させていくのであり崩壊する方向には進まない。戦後７０年がそれを実証した。

表現の不自由展・その後」への国の補助金がストップしたくらいで民主主義崩壊を危惧するというのは笑える。白川氏は妄想の世界に入り込んでしまっているみたいだ。まあ芸術家にはありがちなことではあるが・・・。「天皇の御影を焼いた動画」を展示した「表現の不自由展・その後」への国税補助中止は当然である。

二大政党は野党合流より維新の会に可能性が高い理由

立憲民主党の枝野幸男代表は国民民主党、社民党、野田佳彦前首相や岡田克也元副総理ら無所属議員に事実上の合流を呼びかけた。
実現すれば衆参合わせて
１８０人規模の野党が誕生する。

合流の第一の問題

政権を取った時に運営できるか否か。
旧民主党のように政権党になって自己崩壊するのなら、合流の価値はない。
民主党政権で崩壊した後に
分裂した国民民主党、立憲民主党。
分裂しないで崩壊の原因を追究して、
新たな民主党として政権奪回を目指していたなら、
政権党になれる資格があった。
反省は全然なく分裂。
政策の見直し全然なく分裂。
合流は民主党時代よりも政権能力はない。

第一次安倍内閣の「美しい国づくり内閣」を反省し、
第二次安倍内閣は「危機突破内閣」の安倍政権にし、
経済危機を乗り越えた。

安倍内閣のように反省と政策転換なしの
合流は政権党になれない。
崩壊するだけだ。
民主党のように。

第二の問題

政権党になれない野党合流ではあるが。
過半数を確保することはできるか否か。
民主党時代に国民の信頼を裏切った
野党の合流が
国民の信頼を得ることはない。
過半数の議席を確保することは
できない。
できるはずがない。

立憲民主党の枝野幸男代表は、
「(国会の)会派をともにする皆さんには十分に理念、
政策を共有していただいている。より強力に安倍晋三政権と対峙するため、幅広く立民とともに行動していただきたい」
と強調したが、
それは嘘である。
保守と左翼は理念も政策も違う。
保守の国民、左翼の立憲、社民が
同じ理念、政策にするのは困難。
長い期間徹底した協議をしなければならない。
それなのに協議をしていない。
理念、政策は全然なくて。
ただただ、
「安倍晋三政権と対峙する」
だけである。
それは
理念、政策を共有しない
安倍政権ケチ付け目的の合流である。
民主党崩壊を見てきた国民には
それが見える。
だから、野党合流が過半数の議席を
確保することはない。
維新の会は衆議院選の時大阪で圧勝した。
維新の理念、政策が府民に受け入れられたからだ。
大阪市は慰安婦像を設置したサンフランシスコ市と
姉妹解消。
愛知県の「不自由展」批判。
福島県の排水処理水を大阪の海で処分宣言
そして、
来秋大阪都構想再投票宣言
いよいよ大阪都が実現する。

維新の会が名古屋知事を確保すれば
東京小池知事と連携し、
東京ー名古屋ー大阪の三都市共闘体制ができる。
維新の会の躍進は確実だ。

維新の会は理念、政策を発展させている。
勢力も着実に拡大している。

松井一郎代表は野党の合流を
冷ややかに突き放した。

冷ややかに。

立憲の枝野代表と共産党の志位委員長が会談。
野党と共産党が連携協力。
連携協力するために共産党は
「日米安保条約の廃棄」
「憲法第9条の完全実施（自衛隊の解消）」
を持ち込まない。
え、どういうことだ。
共産党の命である綱領を捨てる？
いやいや、あり得ない。
綱領を懐に隠すということだ。
本音を隠して連携？
なんのこっちゃ。
選挙で一票でも多く稼ぐための
連携協力というわけか。

沖縄社民党は
合流しても理念を変えない
という。

理念・政策はバラバラ。
露骨な野党の野合。

立憲は「吸収合併」求め、
国民は「対等合併」求める。
立憲は「年内で判断できる線まで」
国民は「年をまたいでも協議を継続」
立憲は「党名や政策では譲らない」
国民は「立憲は上から目線」

理念も政策もバラバラな
野党の野合ができることは、
安倍内閣を総辞職に追い込むために
来年の通常国会も、『桜を見る会』について徹底追及
すること。
安倍内閣と政策論争ができない野党野合だから、
ゴシップネタで追い詰めることしかできない。
いつまで続くのか
野党の末期症状。
※原稿を印刷所に送る寸前に立民と国民合流合意至
　らず報道　合流しない方が少しは・・・・だ。
自民党と共産党が維新の会の大阪都構想に反対。
維新の会は自民党と共産党を追い詰めた。
そのくらい強烈でなければ政権党になれない。
二大政党は維新の会の勢力拡大を待つしかない。

アート
ハイク

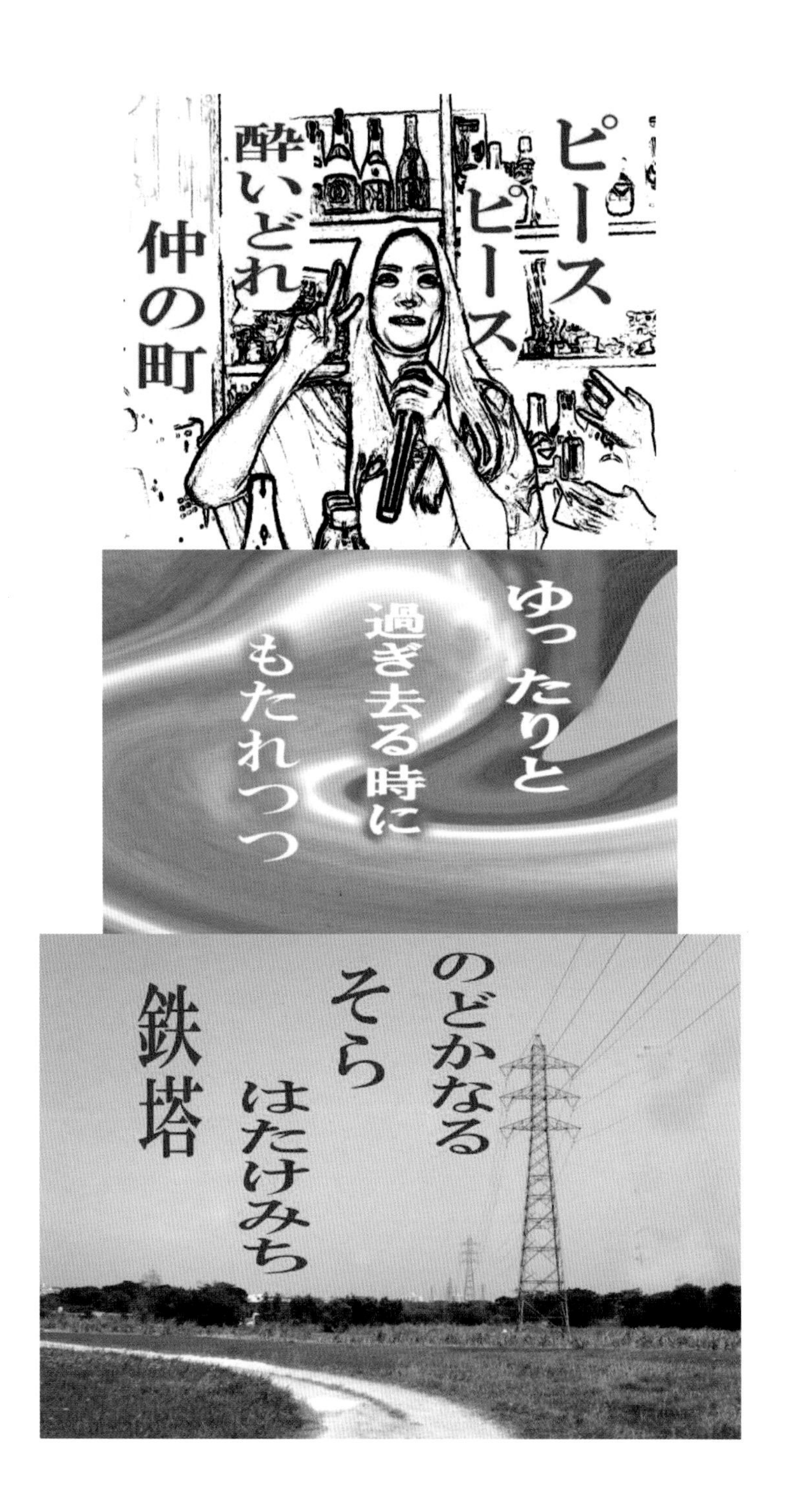
ピース
ピース
酔いどれ
仲の町
ゆったりと
過ぎ去る時に
もたれつつ
のどかなる
そら
はたけみち
鉄塔

青空の
下で
踊れや踊れ
夏
音は消え
心
澄みゆく
雨上がり

錆びついて
ひっそりと
立ち
初夏の
昼

朽ちて
なお立つ
在りし日の
遊技場

沈みゆく
心の傷の
夢の夢
愛と苦を
絡め
絡めて
闇の春

人権に
背向ける民よ
辺野古しぐれ

沈みゆく
心よ心
夢よ
夢

なにゆえに
闇に叫んで
迸る
貝がらを
探して浜に
春の嵐

朝七時
疲れて帰る
仲の町
南島の
黄色き花よ
冬の春

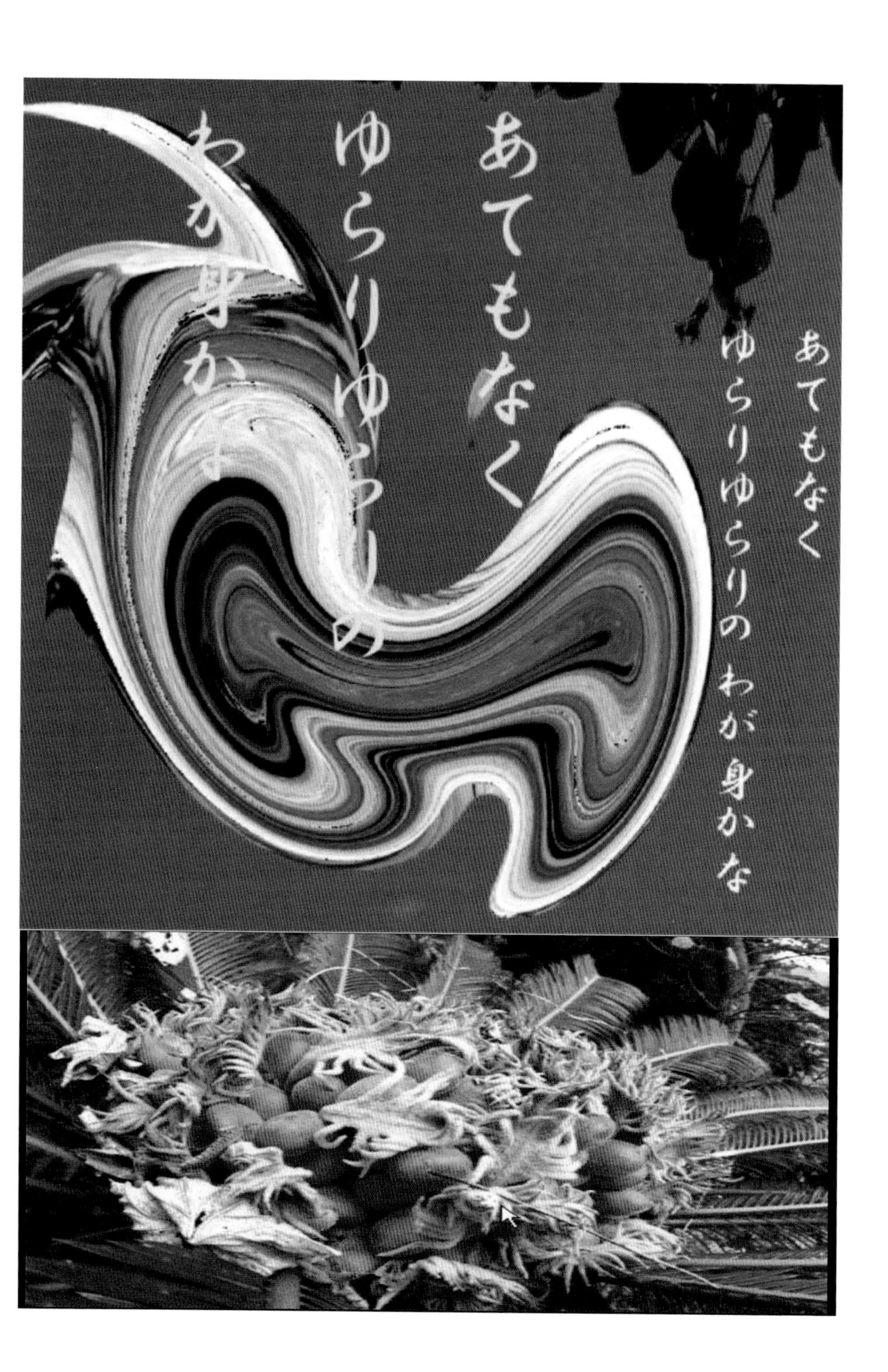
あてもなく
ゆらりゆらりの
わが身かな
あてもなく
ゆらりゆらりの
わが身かな

けだかくも
寂しく空の
はぐれ鷹
当てもなく 俺も
おまえも
漂って

熟れていくおまえを愛し
酒の日々
ああ女
闇で微笑む
狂おしく

黒いフランケン４

「私は遺伝子の研究をしています。遺伝子といっても範囲が広いです。私は突然変異と遺伝子の関係を研究しています。でも、ドクター・シュレッターの研究は私の知識を遥かに超えています。政府はミスターＮ・Ｈが突然変異と遺伝子に関係していると考えて私を派遣したと思いますが、突然変異と遺伝子に関係しているのはほんの一部です。ドクター・シュレッターの研究は生体学から遺伝子論､脳生体学、神経学、筋肉論、電子学に量子力学と何十もの分野に広がっているのです。とても私の手には負えません。私は遺伝子についてしか分かりませんからね。それに・・・・。」

ロバートは入り口の方を見た。ロイたちに聞かれたら拙いのだろう。ロバートは声を潜めた。

「ミスター・シュレッターは現在では絶対に許されない人体実験をやったようです。」

ロバートは暗い顔になった。

「ドクター・シュレッターの研究論文がどんなに素晴らしい論文であっても絶対に公表されることはないです。ベトナム戦争で死んだ直後のアメリカ兵や瀕死状態のベトナム人が人体研究の対象だったようです。研究者としてはドクター・シュレッターが羨ましいですが、人間としてはドクター・シュレッターの研究に吐き気を催します。しかし・・・」

ロバートは苦笑いをした。

「ドクター・シュレッターはとてつもない天才です。なにしろミスターＮ・Ｈという化け物を誕生させたのですから。」

「ミスターＮ・Ｈは人間が変形したものか。」

と啓四郎が聞くと、ロバートは困った顔をした。

「それがはっきりわからないのです。ミスターＮ・Ｈが人造人間であるのは確かです。現代のフランケンシュタインです。しかし、ミスターＮ・Ｈが生命体なのかそれとも非生命体なのかははっきりしません。軟体ロボットである可能性もあるのです。ミスターＮ・Ｈが生体ならその生命を止める、つまり殺すことができます。しかし、非生命体ならそれができません。ミスターＮ・Ｈが非生命体なら彼のエネルギー源を突き止めてそれを遮断すればミスターＮ・Ｈの活動を停止することができます。ロイ・ハワードが私に要求しているのはミスターＮ・Ｈの動きを止める方法なのですが皆目見当がつかないのです。拳銃の弾を打ち込んでもミスターＮ・Ｈは平気なのですからロイたちはミスターＮ・Ｈはゾンビかロボットなのだと言い張っていますが、弾丸で死なないからといって生命体でないとは言い切れません。急所を外れたら平気でいる軟体動物はいくらでもいます。それにゴムのような軟体物でロボットを作るというのは今の科学では不可能です。」

「ミスターＮ・Ｈの誕生についてのドクター・シュレッターの論文を読めばミスターＮ・Ｈの正体が分かるのじゃないか。」

ロバートは首を振った。

「そうですが。その論文が見当たらないのです。研究所のどこかに隠されているのか、もしかしたらミスターＮ・Ｈについては論文がないかも知れません。というのもドクター・シュレッターは次第に論文を書かなくなっていたのです。独りだけの研究だから論文を書くのが面倒くさくなったのかも知れません。理論はドクター・シュレッターの頭の中にあり、研究論文は書かないで実験を繰り返していたのかも知れません。高齢だったからね。理論を書くのがおっくうになっていたとしても不自然ではありません。とにかく死ぬまでの約十年間の論文がないのです。研究所に秘密の金庫があってそこに眠っているということも考えられますが。」

啓四郎はロバートの話を聞きながら映画か小説のような空想世界の中にいるような気分になった。啓四郎は運転代行の安い給料で生活の糧を得ているしがない庶民である。啓四郎の夢はインターネットで自前のインターネットショップを作り、その収入で老後も安定した生活を送ることである。インターネットショップで生活費を稼ぐ夢を見ながらパソコンのＨＰ作成に必要なＨＴＭＬ語を四苦八苦しながら勉強している人間である。しかも、五十歳でＨＴＭＬ語を勉強しているのは啓四郎の回りにはいない。これでも、啓四郎は啓四郎の住む世界では文明の先端を行く人間である。ところがロバートの話は啓四郎の住む世界とは違いすぎる。目の前に居るロバートはアメリカ政府から派遣された科学者である。多分、アメリカの有名な研究所の所員なのだろう。そして、ミスターＮ・Ｈなる化け物を誕生させたドクター・シュレッターはあのヒトラー時代のナチスドイツに居た天才学者だという。啓四郎は自分が誘拐されたことも忘れるほどのショックと感銘を受けていた。

ロバートは溜息をついた。

「ドクター・シュレッターの論文は私のような凡人には手が負えません。もっと広範囲の科学者を集めて解読しないとドクター・シュレッターの論文は解明できないことを進言した上で、私は帰国願いを出しました。ドクター・シュレッターの論文を解明するには私のような遺伝子学専門家より電子力学、人造生体学、神経学、量子力学等の専門家が必要であることを進言しました。来週には帰国できると思います。」

ロバートがアメリカに帰国するということを聞いて啓四郎は我に帰った。ロバートはアメリカ人であり遺伝子学の専門家であり自由な立場の人間である。ところが啓四郎はいわれのない理由で謎のアメリカ政府機関のロイ・ハワードに誘拐され、このままではアメリカに連れて行かれ一生不自由な生活を強いられるのだ。ミスターN・Hという怪物を見たというだけでなぜ誘拐されなければならないのか、啓四郎は納得できなかった。啓四郎はまだ生きているががっぱいと諸味里とたっちゅうはすでに殺され、ぶんさんと昭光は行方不明である。啓四郎も状況次第では殺されるかも知れない。ロバートの話は驚くようなとても現実の話のようには思えなかったが、啓四郎の知り合いが殺されたり誘拐されていることは現実である。

啓四郎がそのことを話すとロバートは。

「それは仕方のないことです。ミスターN・Hの存在がマスコミに知られ公になるとアメリカ政府は二重三重に苦境に立たされます。ミスターN・Hのような化け物を作ったことやドクター・シュレッターが人体実験したことが公になると沖縄では軍事基地反対運動が高まるだろうし日本やアメリカ国内だけではなく世界中の人権協会が猛烈に抗議します。アメリカの権威が失墜します。ですから絶対にミスターN・Hのことが公になることは防がなくてはなりません。私はドクター・シュレッターの論文を読んだことを非常に後悔しています。ドクター・シュレッターとミスターN・Hのことを絶対に他言してはならないのですから。私は一生重い枷を引き摺って生きていかなければなりません。しかし、アメリカ国民である限り、アメリカの汚点を秘密にするのは義務ですから。私は私の重い枷を一生ひきずっていく覚悟はあります。」

と言った。

ロバートはアメリカ人だからそれでいいかも知れない。啓四郎はアメリカ国民ではない。アメリカ政府の汚点を負う責任はないし、ミスターN・Hについてもロバートのように深く知っているわけではない。ミスターN・Hを雨の夜にたった一度見ただけである。それなのにどうしてこんな悲惨な目に合わなくてはならないのだ。

「啓四郎さんは気の毒です。しかし、この秘密は絶対に守らなければならないのです。啓四郎さんがアメリカ国民であっても同じ目にあったと思います。それにロイたちが強引な行動に出ているのには理由があるのです。どうやら中国のスパイにミスターN・Hの存在を気付かれたようなのです。そのために一刻を争う事態になったのです。」

「え、中国のスパイが沖縄に居るのか。」

「はい、中国だけではありません。沖縄はアメリカの軍事力が集中しています。そしてアメリカ軍のアジアの情報は沖縄に集められます。ですから沖縄には世界中のスパイが集まっています。ロイ・ハワードの話ではすでに中国のスパイにはミスターN・Hの存在は知られているようです。中国のスパイもミスターN・Hの情報収集に躍起になっているようです。」

「がっぱいや諸味里を殺したりぶんさんや昭光を誘拐したのはアメリカだけではなく中国のスパイがやった可能性もあるということなのか。」

啓四郎は気が重くなった。アメリカだけではなく中国のスパイにも狙われているとしたら啓四郎達の運命は風前の灯である。

「そうかも知れません。」

「がっぱい、諸味里、たっゅう、ぶんさん、昭光はアメリカのスパイに捕まったのかそれとも中国のスパイに捕まったのか。

「ロバートが調べるのは俺が始めてなのか。それとも俺の前にがっぱいいや喜屋武や諸味里、玉城、昭光の誰かを調べたことがあるのか。」

啓四郎に質問されてロバートは苦しそうな表情をした。

「それは言えません。中国のスパイに知られたからには一刻も早くミスターN・Hを処分しなければなりません。ミスターN・Hのことがマスコミに漏れたり中国のスパイに漏れるようなことはあらゆる手段を使って防がなくてはなりません。」

「俺たちを殺してもか。」

ロバートは一瞬答え憎そうにしたが、

「とにかく、国家の秘密を守るという為にはあらゆる手段を使わなければならないということです。」

「アメリカ政府の下では俺たちみたいな庶民は虫けらに等しいというわけか。」

「虫けらというのは虫のようになんの権利もない、粗末な存在という意味ですよね。それは違います。アメリカは民主主義国家であるし純然たる法治国家です。啓四郎さんを虫けらと同じように扱っているわけではありません。」

「突然目隠しをされて、分からない場所に連れて来られて、手錠を掛けられた。虫けらと同じだ。それに俺は日本人だ。アメリカ人じゃない。日本人の俺が、なぜアメリカ政府の組織に誘拐されなければならないのだ。」

ロバートは困った顔をした。

「私は遺伝子の研究者であって政治家ではありません。難しいことは分かりません。啓四郎さんを捕縛したロイと討論してください。済みませんが、ミスターN・Hの質問を続けさせてさせて下さい。」

その時ドアが開きロイが入って来た。ロイは啓四郎への尋問を終えるようにロバートに言い、ロバートはまだ終わっていないからもっと続けさせてくれと言ったが、ロイと一緒に入って来たドナルドがロバートの脇を掴んで部屋の外に連れて行った。ロイは啓四郎に近づき手錠を外した。

「明日、来ます。明日までに決心してください。」

ロバートは出て行ってドアを閉めた。


ドアは外から鍵を掛けられていて内から開けることはできなかった。窓はコンクリートで固められている。古いコンクリートの家だ。啓四郎は部屋の外の様子を探るためにドアに耳を当てた。ドアの外は静かで人の声や動く物音が聞えない。冷房機のコンプレサー音だけがブーンと聞えてくる。啓四郎は耳を強くドアの壁に押し付けたがロイ・ハワードやロバートの話し声は聞こえなかった。彼らは出て行ったようだ。啓四郎はドアのノブを回したり、壁を叩いたりして部屋から脱出できる箇所を探したが見つけることはできなかった。啓四郎は脱出することを諦めて、部屋の壁に背を持たせて座った。秘密裏にアメリカに連れて行かれ、見知らぬ場所で生活しなければならないのか。啓四郎は自分の明日が分からない不安で気持ちが落ち着かなかった。

　脱出を諦めて三十分程が過ぎた頃、天上からがさごそと音が聞えた。ねずみが天上の板を齧っているような音だがねずみの仕業にしては音が大きい。啓四郎は立ち上がって音のする方に近づいた。

「啓四郎。」

押し殺した声が天井から聞えた。声のする方を見ると天井の板が剥がれていきその隙間から仲里が顔を覗かせた。啓四郎は驚いた。なぜ仲里が誘拐された家の天井にいるのかわけが分からないが啓四郎は急いで仲里が顔を覗かせている天井の下の方に行った。仲里の顔が消え、バリバリと天井の板が小さなバールで剥がされた。天井板の一枚が取り除かれて再び仲里が顔を出した。

「啓四郎。上がって来い。」

天上を剥がす時、バリバリと大きな音を発したのでロイ・ハワードの仲間に気付かれないか啓四郎は気が気でなかった。

「大きな音を出して大丈夫なのか。」

「大丈夫だ。お前を連れてきたアメリカの連中は全員どこかに出かけた。家の中には誰も居ないから音を出しても大丈夫だ。」


啓四郎はテーブルを穴の真下に移動して、テーブルに乗ると天井の桟を掴み、仲里の助けを借りて天井裏に上った。啓四郎は這いずりながら仲里の後ろについて行った。仲里は明かりの漏れる場所に移動して、その穴から下に降りた。降りた場所は家のキッチンだった。キッチンには鍋やコンロはなく、キッチンが使われている痕跡はなかった。キッチンの隣は居間になっていて、居間には飾り付けも棚もないテーブルだけの殺風景な居間だった。この家には誰も住んでいないようだ。さらってきた人間を監禁する目的だけに使われている家なのであろう。

　仲里はキッチンの裏ドアから外に出た。裏ドアの鍵は簡易なロック式の鍵で仲里はその鍵をバールを使って壊して家に侵入していた。仲里はおんぼろな駄菓子屋の修理をするために大工の七つ道具を車に乗せていた。生徒達が騒いで駄菓子屋の壁がよく壊される。トイレのドアや裏口のドアもよく壊される。子供たちが暴れてガラスを割ることもある。仲里は壊されたら大工やガラス工に頼まないで自分で直していた。駄菓子屋の収入は少ないし子供に損害賠償を要求するわけにもいかない。修理を大工に頼んでは赤字になるからと仲里は自分で修理した。トイレのドアや裏戸の修理や雨漏れ修理などの大きな修理の時は啓四郎も手伝った。

「どうして、俺の居場所が分かったのだ。」

啓四郎は車の助手席に座ると仲里に聞いた。

「店を閉めて、ご飯を食べようと上間食堂に来た時、君の車を調べているアメリカ人を見た。僕は駐車場から離れた場所に車を停めて様子を見ていたら君がアメリカ人に無理矢理車に押し込められるのを見たんだ。それで尾行して来た。」


啓四郎が連れてこられた家は海に近い一軒家であった。近くには十数件の一軒家がありアメリカ軍所属の人たちが住んでいた。仲里の車は海岸の住宅街から離れ、啓四郎の車を駐車している内間食堂に向かった。二人は内間食堂から住宅密集地の中にある目立たない食堂に入った。

食事をしながら啓四郎はロイ・ハワードやロバートの話を仲里に詳しく話した。仲里はドクター・シュレッターの話が出た時に驚いた。

「え、ドクター・シュレッターは生きていたのか。」

「ドクター・シュレッターを知っているのか。」

「若い頃に彼の論文を読んだことがある。」

「ドクター・シュレッターというのはどんな人物なのだ。」

「ドイツの伝説的な科学者だ。第二次大戦の時に行方不明になった。連合軍の空爆か銃撃戦に巻き込まれて死んだのだろうと言われている人物だ。ドクター・シュレッターが沖縄に居たというのは信じられない。生きていたら会いたかったなあ。」

ドクター・シュレッターの論文のほとんどは紛失していて仲里が呼んだ論文は若い時の草稿であったらしい。若きドクター・シュレッターの草稿には分子構造論、電子論、量子論等があり、仲里の専門である電気の超電導に関係する草稿もあったので仲里はドクター・シュレッターの論文を読んだらしい。

「ドクター・シュレッターという科学者の専門はなんなのだ。」

「それははっきりしていない。噂によるとナチスにはヒトラーの指令で最強の人造兵士を造る特別研究班があったらしくドクター・シュレッターはその特別研究班に属していたらしい。彼の論文は学生の時の草稿しか残っていない。多分、特別研究班に入ったために彼の論文は門外不出になったのだと思う。ドクター・シュレッターの論文があるなら読んでみたい。」

「ドクター・シュレッターはドイツ人だよ。ていはドイツ語が読めるのか。」

「僕達にはドイツ語は必修だよ。ドイツ語が読めなければ基礎研究さえできない。会話はできないが専門書は読める。」

啓四郎は仲里がドイツ語を読めるというのには驚いた。しかし、仲里は大学院に進学し、そのまま大学にいれば教授になった人間だ。ドイツ語が読めるのは当然なのかも知れない。

「英語も読めるのか。」

と啓四郎が聞くと愚問はするなよとばかりに、

「当たり前だろう。」

と言って仲里は笑った。

「話せるのか。」

と聞くと、

「会話はできない。」

と言った。ドイツ語にしろ英語にしろ読むことより会話の方が簡単であるのに読むことはできるが会話ができないというのは変な話である。仲里が言うにはドイツ語や英語の専門書を読む必要があったからドイツ語と英語を読むことができるけれどドイツ語や英語の会話は必要がなかったから会話はできないのだという。

「俺達が遭遇した黒い大男のミスターN・Hはドクター・シュレッターが造ったとロバートが言っていたが、仲里はミスターN・Hの正体はなんだと思うか。」

仲里は腕組みをして首を傾げて考えていたが、

「分からないな。やっと人ゲノムを解明したのが最近だ。強いて言えば量子力学的生命体と言えるが、ゲノムでさえ自由に操作できない現代の科学が遺伝子論を遥かに超えた量子力学的生命体なんか造れるはずがない。ミスターN・Hのようなものが存在する可能性はゼロだ。ミスターN・Hは幻かゴリラだろう。ドクター・シュレッターが天才であってもミスターN・Hを造ることは不可能だ。」

宮里はロバートから聞いたことを聞いてもミスターN・Hの存在を認めなかった。幻が梅さんを放り投げることはできないしゴリラがカーペットに変形することはできないと啓四郎は仲里に反論したかったが、科学の理論では仲里の足元にも及ばない。軽く反論されてしまうだけだ。これ以上ミスターN・Hについて仲里と話しても無駄だから啓四郎はミスターN・Hについて考えるの中断し、ロイ・ハワードやチャン・ミーが何者であるのかを仲里と検討し、行方不明になっているぶんさんや昭光の居所を探すのを優先することにした。

「ぶんさんと一緒に居たというチャン・ミーはロイ・ハワードのグループとは別組織の人間なのかな。ひょっとするとぶんさんたちを誘拐したのはロイのグループではないのかも知れない。」

「チャン・ミーは台湾から来たと言ったが、台湾ではなくて中国から来たのかも知れない。」

「中国のスパイということか。」

「僕達はとんでもないことに巻き込まれたみたいだ。あの日にコザ運動公園に行かなければよかった。」

「今さら遅い。嘆くよりぶんさんを探そう。」

啓四郎と仲里は食堂を出て、沖縄子供の国公園に向かった。車二台で行くのは拙いから仲里の車は沖縄子供の国公園の駐車場に置いて啓四郎の車でチャン・ミーの仲間の隠れ家があると考えられる高台に向かった。坂を昇り十字路を左に曲がって一軒家が並んでいる通りをゆっくりと車で移動しながら隠れ家らしき家を探した。しかし、外から見ただけではどの家も普通の家であり外見で隠れ家が分かるはずがない。啓四郎は数台の車が駐車している場所に車を停めた。啓四郎と仲里は明け方まで車の中で見張っていたが、チャン・ミーや彼女の仲間らしき者が通りに出てくることはなかった。

「どうしようか。」

朝日が昇り回りはすっかり明るくなった。仲里は時計を見た。

「午前九時まではここに居よう。朝は慌しいから怪しまれることはないだろう。」

午前九時まで見張っていたが、昨日見た男もチャン・ミーの姿も見ることはできなかった。

「僕の家に行くか。」

啓四郎の住んでいるアパートはロイ・ハワードに知られているに違いない。啓四郎は自分のアパートに戻ることはできないだろうと思った仲里は啓四郎を自分の家に誘った。啓四郎は仲里の家に行くことにした。二人は仲里の家で仮眠を取り、午後一時になると仲里は駄菓子屋に出かけた。啓四郎は昨日チャン・ミーの仲間と思われる若い男を見つけた喫茶店に入り、若い男が現れるのを待つことにした。

　午後三時、その若い男は現れた。照りつける熱い日差しの下をコンビニの方に歩いている。啓四郎は急いで車に乗り、坂道を登って男が曲がった角の反対側の道路に車を停めて若い男が来るのを待った。三十分後に若い男はソフトドリンクの入ったビニール袋を持って坂道を登ってきた。角を曲がり閑静な通りを歩き、三件目の一軒家に入って行った。啓四郎は男が家に入って暫くしてから、車で男の入った家の前を通り過ぎた。三十坪程度のコンクリート造りの平屋に小さな芝生の庭があり、通りに面した車庫には白いカローラが駐車していた。通りの反対側は家やアパートが斜面の上に立ち並び、下の大通りまで密集していたが、男の入った通りの右側にある家は通り沿いに家が一軒ずつ並んでいて家の裏は林になっていた。

いつまでもうろうろしていたら怪しまれる。啓四郎は通りの奥で左折すると狭い道路を下って大通りに出た。ぶんさんは若い男の入った家に監禁されているのだろうか。昭光もぶんさんと一緒なのだろうか。啓四郎は仲里の居る駄菓子屋に向かった。

深夜、啓四郎と仲里は車を坂の上のチャン・ミーのグループの家から百メートルほど離れた場所に停めて、チャン・ミーのグループの家に向かった。塀に隠れて家の様子を見たが人の動く影はない。車庫に車はなかった。住人は出掛けているようだ。家の中に人は居ないかも知れない。居たとしても一人か二人だろう。窓のカーテンは閉められ、家の中を覗くことはできなかった。仲里と啓四郎は家の裏に回った。家を囲っている塀の高さは一メートルあり、啓四郎と仲里は壁を越えて裏庭に入り用心深く窓に接近した。カーテンの隙間から家の中を見た。居間のソファーには見たことのない男が寝ていた。啓四郎と仲里は隣の窓を覗いた。その部屋は寝室らしくツインベッドがある。寝室には人影は無かった。寝室の隣の窓を覗いた。薄暗い小部屋の中をカーテンの隙間から目を凝らして見るとぶんさんらしい人間が後ろ手を縛られてベッドの上で横たわっていた。ぶんさんが生きていたことに啓四郎は胸を撫で下ろした。昭光の姿を探したが部屋の中にはぶんさん以外の人間は居なかった。別の部屋を覗いたが昭光の姿を見つけることができなかった。

仲里は車に戻り駄菓子屋の修理七道具の中からガラスカッターとガムテープとげんのうを持ってきた。仲里はガラスカッターで内鍵の箇所の側に拳の大きさの丸いキズを入れ、その上にガムテープを貼った。

ガムテープの上をげんのうで叩いて音もなくガラスを割り、開いた穴から手を入れて内鍵を外した。窓を開け啓四郎は部屋の中に入った。

　横たわっているぶんさんの縄を解いて起こそうとしたがぶんさんは寝入っていて起きる気配がなかった。頬を叩いたが反応がなかった。睡眠薬を飲まされて眠っているに違いない。

「どうする。ぶんさんは起きそうにない。」

啓四郎は仲里と顔を見合わせた。起きなければ担いで逃げるしか方法はない。

「担いで逃げよう。」

啓四郎はぶんさんを肩に担いで窓際に寄るとぶんさんを窓の外に出した。仲里は窓の外に出て啓四郎からぶんさんを受け止めた。

「俺がぶんさんを担ぐ。」

啓四郎はそう言うとぶんさんを仲里の腕から自分の背中に移した。痩せたぶんさんの体は軽かったが寝入っているためにずれ落ちそうになる。

「大丈夫か。」

「ああ、大丈夫だ。」

啓四郎がぶんさんを背中に乗せた時に家の中で犬が吼えた。啓四郎たちの浸入に犬が気付いて吼えたのだろう。犬の吼え声に見張りの男は起き出すに違いない。一刻の猶予もない。

「急ごう。」

啓四郎はぶんさんを担いで仲里の後ろに続いた。啓四郎が壁を越えた時に部屋のドアが開く音が聞え、犬の吼え声が大きくなった。

「待て。」

という声を背中に聞きながら、啓四郎は通りの方に出ると駐車している車に向かって走った。啓四郎は必死に走ったが背中にぶんさんを背負っているから走るのは遅い。通りに出て数十メートル逃げた所で急にぶんさんの体が重くなり、後ろに引っ張られた。見張りの男が担いでいるぶんさんを掴んで引っ張ったのだ。啓四郎は踏ん張って走ろうとしたが数歩進んだだけで、前進はできなくなった。見張りの男に啓四郎は肩を掴まれた。啓四郎はぶんさんから手を離して、見張りの男と揉み合った。

　啓四郎を掴んだ男は声をださなかった。啓四郎と揉めていることを隣近所の人間に聞かれたくないからだろう。啓四郎は見張りの男に倒されて足蹴りをされた。男は中国語で低く叫ぶと啓四郎に馬乗りになって、啓四郎を殴った。啓四郎も必死に応戦した。

しかし、男は喧嘩慣れしているらしく啓四郎の反撃を難なく交わして攻めてくる。この男には勝てない。このままこの男に負けてしまうという実感が湧き、打ちのめされるのを啓四郎は覚悟せざるを得なかった。啓四郎が抵抗するのをあきらめかけた時、男の体重が軽くなり啓四郎の上を飛んで行って路上に墜落した。啓四郎はわけが分からずに起き上がると、

「大丈夫か。」

と言う声がした。振り返ると仲里が心配そうに啓四郎を見ていた。

「大丈夫だ。」

と答え、啓四郎はぶんさんの側に行った。ぶんさんはまだ寝ている。仲里は路上の男がふらふらと起き上がろうとしたので素早く男の胸倉を掴んで背負い投げで男を投げ飛ばした。男は「ぐぇー。」と鈍い声を出して動かなくなった。仲里は痛い腹を押さえながらぶんさんを担ごうしている啓四郎の所に来るとぶんさんを肩に担いで、

「急いで。」

と啓四郎に言い、啓四郎の脇を抱えて車に向かって走った。

「お前はいつからそんなに強くなったのだ。こっそりと拳法でも習っていたのか。」

啓四郎は仲里の強さが不思議に思われた。

「さあ、僕にも分からない。とにかく体がすごく調子いいのだ。」

「お前がこんなに強いのは信じられない。」

「僕自身もびっくりしている。しかし、そのお陰で助かったのだ。とにかく、今は逃げることが先決だ。」

啓四郎は後ろを振り返った。月の光りにアスファルトの所々は照り光りしている。男が倒れている辺りはアスファルトの黒い面だけが見えた。男が立ち上がっているのなら男の影が見えるはずだが男の姿らしい影は見えなかった。男はまだ倒れたままに違いない。

「男が追いかけて来る様子はない。」

車まで一気に走っていきぶんさんを後部座席に寝かせ、啓四郎は運転席に乗り車を発車させた。車はスピードを上げて坂を下り、左折してコザ市外の方向に走った。

「どこに行こうか。」

車を走らせながら啓四郎は仲里に聞いた。啓四郎のアパートも仲里の家もチャン・ミーのグループに知られている可能性がある。ぶんさんが奪回されたと

分かれば啓四郎のアパートや仲里の家にチャン・ミーのグループが襲ってくる可能性がある。啓四郎のアパートに行くわけにはいかないし仲里の家に行くこともできない。

「二十四時間喫茶店に行こうか。あそこで朝まで居座るというのはどうだ。」

しかし、車を喫茶店の駐車場に置いているとチャン・ミーのグループに見つかるかも知れない。

「朝までドライブをするか。」

それもいい案だが、啓四郎は男に殴られた箇所が痛むし、疲労していたからゆっくり休む場所が欲しかった。

「モーテルに行こう。」

啓四郎の言葉に仲里は驚いた。

「モーテルは男と女がデートする場所だろう。そんな所に男三人が入っていいのか。」

啓四郎は苦笑いした。仲里はスナックで思う存分酒を飲みはしゃぎまくりはするが浮気はしない純情な男だった。モーテルに一度も行ったことがない。

「モーテルはなにも男と女のコンビだけが行かなければならないという場所ではない。車ごと入れるから隠れる場所としては最適だ。金が高くつくのが欠点だが。」

啓四郎が運転する車はコザ市の北側にあるモーテル街に入り、モーテル街の一番奥のエリザベスというモーテルに入った。ひとつしかないツインベッドにぶんさんを寝かせた。


昼になりぶんさんの目が覚めた。

「ぶんさん。大丈夫か。」

「ああ、啓さん。ここはどこだ。」

「モーテルだ。」

ぶんさんは回りを見渡して、監禁されていた部屋とは違うのを確認して安堵した。

「私を助けてくれたのか。ありがとう。」

ぶんさんは疲れた顔で啓四郎と仲里に礼を言った。

「昭光と一緒ではなかったのか。」

「いや、私はチャン・ミーが酒を飲ましてくれるというのでチャン・ミーの家に行った。暫く酒を飲んでいると三人の男が奥の部屋から現れて私は小部屋に監禁された。ビールが欲しい。」

啓四郎は冷蔵庫からビールを出しぶんさんに渡した。

「監禁されてからどんなことをされたのか。」

「運動公園で見た黒い大男のことを根掘り葉掘り聞

かれた。運動公園に連れて行かれて、黒い大男の行動や姿について聞かれた。嫌になるほどしつこくだ。」なぜひどい目に会わなければならないのだと呟いてぶんさんは溜息を吐いた。

「昭光がぶんさんと一緒ではなかったということは昭光は中国のスパイではなくてアメリカのスパイに捕まったのかな。」

「かも知れないが、中国の別の隠れ家に匿われていることも考えられる。」

啓四郎と仲里はぶんさんを監禁から開放したが、ぶんさんを匿うことはできなかった。モーテルから出るとぶんさんは警察に保護してもらうと言ったのでコザ警察署の近くでぶんさんを下ろし、仲里は駄菓子屋に行き、啓四郎はアパートに戻った。

ぶんさんは警察に保護してくれるように訴えたが、警察に相手にされなかった。それどころか、ぶんさんが酔っ払って警察のロビーで悪態をついても、以前は留置場に入れたがパトカーに乗せられてコザ市のはずれで解放された。ぶんさんは昼はコザ市をうろつき、夜になると街の路地裏に隠れて生活するようになった。啓四郎は昼間はアパートで眠り夜は車代行の仕事をやり、代行の仕事がなくてもアパートには戻らなかった。仲里は駄菓子屋を続けたが日が明るい時刻に駄菓子屋を閉め、夜はコザ市から遠い場所に移動し、車の中で寝たり、安宿に泊まったりして、ほとぼりが冷めるのを待った。

ぶんさんを救出してから二週間が過ぎた。まだ昭光の事故死が新聞に掲載されていないから昭光はまだ生きているという望みはあった。しかし、昭光を探す手掛かりはひとつもないので昭光を探し出すことはできない。ぶんさんの死亡事故の記事も新聞に掲載されなかったからぶんさんもまだ生きているだろうと啓四郎は思った。時々、仲里の駄菓子屋に寄っているから仲里が無事であるのは確認している。

ぶんさんから電話が入った。相談したいことがあるから会いたいという。ぶんさんと人通りの多いパークアベニューで会うことになった。ぶんさんは身を隠して生きる日々に疲れすっかりやつれていた。

「私は疲れた。寝ている時に見つかって殺されるのではないかと思うと寝ることもできない。酒を飲んで寝ると黒い大男やアメリカ人や中国人に襲われる夢ばかり見る。」

ぶんさんとパークアベニューの喫茶店に入ろうとし

たがパークアベニューの喫茶店にはアメリカ人の客が居たのでぶんさんは入るのを嫌った。啓四郎はぶんさんを連れてパークアベニューの裏にある小さな食堂にはいった。ぶんさんは近況を啓四郎に話した。

「一番安全な場所は刑務所しかないと思った。万引きをやって警察に逮捕されれば刑務所に入れると考えて、ゴヤの紳士服でスーツを万引きした。でも、警察は一日で私を釈放したんだ。金額が小さいから刑務所に入れないのかなと考え、こんどは宝石店で数十万円もするネックレスを万引きして捕まった。ところが再び一日で釈放された。三度目は高級時計を万引きして捕まった。それでも昨日の昼に釈放された。なぜか警察は私を刑務所に入れないんだ。多分アメリカが私を刑務所に入れないように工作しているのだと思う。刑事が私にそっと呟いたんだ。コザの街から出て行った方がいいよって。」

ぶんさんは泣きそうな顔になっていた。

「刑事が万引きを何度やっても刑務所には入れないと言ったんだ。刑務所に入りたかったら殺人を犯すしかないと言った。そんな大それたことは私にはできない。」

ぶんさんは絶望していた。

「警察も助けてくれない。コザの街から出て行っても、こんな小さな沖縄では逃げ隠れする所なんかない。」

警察にも圧力が掛かっているということは政府レベルの事件に啓四郎たちは巻き込まれているということになる。しかし、警察はぶんさんをロイ・ハワードの組織に引き渡すのではなく釈放した。それはなぜなのか。それにチャン・ミーの組織とロイ・ハワードの組織は同じ組織なのかそれとも敵対する組織なのか。その組織の正体を暴くことができれば対策の立てようもあるのだが、啓四郎は名も無い貧乏な庶民だ。権力もないし金もない。啓四郎にはぶんさんや啓四郎にふりかかった災難の謎を解くのは荷が重過ぎる。

「啓さん。金を貸してくれないか。私は大阪に逃げる。大阪なら安全だと思う。」

ぶんさんは大阪に逃げ、大阪でホームレス生活をしようとしていた。ぶんさんの言う通り、刑務所に入ることができなければ沖縄に安全な場所はないということになるかも知れない。那覇に住もうと名護に住もうと離島に住もうと沖縄という島は世界地図に載らないくらい小さいのだから隠れ場所なんてないのに等しい。啓四郎はぶんさんに同情し、金を貸す約束をした。啓四郎が金を貸すということになってぶんさんは安堵した。

「じょうさんは元気にしているかな。大阪に行く前にじょうさんに会いたい。」

運動公園の黒い大男の話を最初にしたのはじょうさんだった。そのじょうさんは黒い大男が現れて梅さんが殺されたことに恐怖してゴザから逃れて実家に帰った。その後のじょうさんに会った人間は一人も居なかった。雨の夜に黒い大男を見たのはぶんさん、じょうさん、たっちゅう、がっぱい、梅さん、五郎、諸味里、昭光に啓四郎と仲里の十人だった。梅さん、がっぱい、諸味里、たっちゅうの四人が死んで昭光は行方不明である。生き残っているのはぶんさんと仲里と啓四郎に五郎とじょうさんの五人だ。

「じょうさんはどうしているのか。」

「じょうさんは黒い大男が怖くなってやんばるの実家に戻ったままだ。」

「ぶんさんはじょうさんの家を知っているのか。」

ぶんさんとじょうさんと死んだがっぱいは若い頃から道路工事の労務をやっていて、時々現場が一緒になるので友人になり、お互いの実家にも行ったことがあった。ぶんさんは数回じょうさんの家に行った。じょうさんの家はコザ市から車で北に一時間程の小さな山村にあった。啓四郎もじょうさんの近況を知りたかったし、じょうさんの住む村にロイ・ハワードの仲間やチャン・ミーの仲間が姿を現したことがあるのかどうか、じょうさんは無事であるのかどうか確かめたかった。啓四郎の車でじょうさんの家に行くことにした。啓四郎はぶんさんを自分のアパートに連れて行き、風呂に入れた。一時間程して啓四郎とぶんさんはアパートを出た。

つづく

渡久地の浜

赤瓦の家は　バーベキューのできる家
ガスあり水道あり
設備は完備
トイレも完備
週末は
バーベキューを楽しむ
家族が増えました
渡久地の浜

艦砲射撃で　砕け散った岩

水道なしガスなし
設備なし
トイレなし

自然がそのまま

北側の渡久地の浜
週末は　砂浜に人が来ます

泳ぎます

渡久地の浜の南と北
夏の週末は
人々がやって来ます

わいわい
がやがや

渡久地の浜　子供たち

夏です

渡久地の浜に　子供たちがやってきました

泳いでいます

大声を出して　泳いでいます

水をぱしゃぱしゃ

子供の声が

渡久地の浜に響き渡ります

じいさんが　孫たちと　やってきました

穴を掘ります
穴をほります
深く深く

じいさんも　穴をほります

「ちゃーやいびーが。がにぐゎーや　ういびーんなあ。」（どうですか。かにはいますか。）

「うらん。がにぐゎーぬ　穴やまーんかいん　いじゃがわからん。」
きゃーきゃー
（いない。かにの穴は曲がっていてどこにいったか
わからん。）
渡久地の浜は
じいさんも童心に帰っている

子供たちの声が響き渡る

渡久地の浜はいたるところに　かにの穴がある
かにの穴を掘る少年たち
夏だ
あーまん（やどかり）もたくさんいる。
子供は砂浜や岩で遊ぶ
夏だ

わーわー

２０２０年２月発行
沖縄　日本 アジア　世界　内なる民主主義２２
定価１２９５円(消費税抜き)

編集・発行者　又吉康隆
発行所　ヒジャイ出版
〒　９０４-０３１３
沖縄県中頭郡読谷村字大湾７７２ー３
電話　０９８ー９５６ー１３２０
印刷所　印刷通販プリントパック
ISBN978 - 4 - 905100 - 35 - 5
C0036

著者　又吉　康隆
１９４８年４月２日生まれ。沖縄県読谷村出身。

少女慰安婦像は韓国の恥である
沖縄に内なる民主主義はあるか
翁長知事・県議会は撤回せよ謝罪せよ
あなたたち　沖縄をもてあそぶなよ
捻じ曲げられた辺野古の真実
違法行為を繰り返す沖縄革新に未来はあるか
マリーの館
一九七一Ｍの死
ジュゴンを食べた話
バーデスの五日間　上巻下巻
おっかあを殺したのは俺じゃねえ
台風十八号とミサイル

県内取次店
沖縄教販
ＴＥＬ　０９８-８６８-４１７０
ＦＡＸ　０９８-８６１-５４９９
本土取次店
(株)地方小出版流通センター
ＴＥＬ　０３-３２６０-０３５５
ＦＡＸ　０３-３２３５-６１８２
取次店はネット販売をしています。